Pour l'avenir de l'art 3D en tout[...]

S.M.R. [...]que l'avenir de l'a[...]

Pour (G)Jessica

c'est une blague !

Hervé [signature]

23 03 11

VLB éditeur bénéficie du soutien de la Société de développement des entreprises culturelles du Québec (SODEC) pour son programme d'édition.

Gouvernement du Québec – Programme de crédit d'impôt pour l'édition de livres – Gestion SODEC.

Nous reconnaissons l'aide financière du gouvernement du Canada par l'entremise du Programme d'aide au développement de l'industrie de l'édition (PADIÉ) pour nos activités d'édition.

Nous remercions le Conseil des Arts du Canada de l'aide accordée à notre programme de publication.

Du même auteur

Art et communication marginale, Paris, Balland, 1974

Théorie de l'art sociologique, Paris, Casterman, 1977

Citoyens sculpteurs, Paris, SEGEDO, 1980

L'Histoire de l'art est terminée, Paris, Balland, 1981

L'oiseau-chat, roman-enquête sur l'identité québécoise, Montréal, Éditions La Presse, 1983

La Calle ¿Adonde llega?, Mexico, Arte y Ediciones, 1984

Mythanalyse du futur, publication sur Internet, www.hervefischer.net, 2000

Le choc du numérique, le triomphe des cyberprimitifs, Montréal, VLB éditeur, 2001

Le romantisme numérique, Montréal, Fides-Musée de la civilisation, 2002

Les défis du cybermonde, collectif sous la direction d'Hervé Fischer, Presses de l'Université Laval, 2003

CyberProméthée, l'instinct de puissance à l'ère du numérique, Montréal, VLB éditeur, 2003

La planète hyper, de la pensée linéaire à la pensée en arabesque, Montréal, VLB éditeur, 2004

Le déclin de l'empire hollywoodien, Montréal, VLB éditeur, 2004

Nous serons des dieux, Montréal, VLB éditeur, 2006

La société sur le divan. Éléments de mythanalyse, Montréal, VLB éditeur, 2007

Québec imaginaire et Canada réel, Montréal, VLB éditeur, 2008

Un Roi américain

VLB ÉDITEUR
Groupe Ville-Marie Littérature inc.
Une compagnie de Quebecor Media
1010, rue de La Gauchetière Est
Montréal (Québec) H2L 2N5
Tél.: 514 523-1182
Téléc.: 514 282-7530
Courriel: vml@sogides.com

Maquette de la couverture: Anne-Maude Théberge
Maquette du livre: Anne-Maude Théberge
Traitement des images : Mélanie Sabourin
Photo de la couverture: © Léopold Rousseau

Catalogage avant publication de Bibliothèque et Archives nationales du Québec et Bibliothèque et Archives Canada
Fischer, Hervé, 1941-
    Un roi américain
    Comprend des réf. bibliogr.
    ISBN 978-2-89649-056-1
    1. Tremblay, Denys, 1951- . II. Titre.
    NX513.Z9T743 2009   700.92   C2009-940855-4

DISTRIBUTEURS EXCLUSIFS:

• Pour le Québec, le Canada et les États-Unis
LES MESSAGERIES ADP*
2315, rue de la Province
Longueuil (Québec) J4G 1G4
Tél.: 450 640-1237
Téléc.: 450 674-6237
*Filiale du Groupe Sogides inc.
filiale du Groupe Livre Quebecor Media inc.

• Pour la France et la Belgique:
Librairie du Québec / DNM
30, rue Gay-Lussac
75005 Paris
Tél.: 01 43 54 49 02
Téléc.: 01 43 54 39 15
Courriel: direction@librairieduquebec.fr
Site Internet: www.librairieduquebec.fr

• Pour la Suisse:
TRANSAT SA
C. P. 3625, 1211 Genève 3
Tél.: 022 342 77 40
Téléc.: 022 343 46 46
Courriel: transat-diff@slatkine.com

Pour en savoir davantage sur nos publications,
visitez notre site: **www.edvlb.com**
Autres sites à visiter: www.edhexagone.com • www.edtypo.com
www.edjour.com • www.edhomme.com • www.edutilis.com

Hervé Fischer

Un Roi américain

vlb éditeur
Une compagnie de Quebecor Media

L l fait -17 °C ce matin, à L'Anse-Saint-Jean. Le froid a figé le ruisseau qui zigzaguait entre les roches chaotiques. Si nous ne sommes pas médusés de voir l'eau se transformer en glace ou en vapeur, nous ne nous étonnerons jamais de rien. Sans doute n'est-ce ni la complexité ni le mystère qui nous surprennent, mais la rareté. Et même si «la nature se sert de l'imagination humaine pour continuer sur un plan plus élevé son travail de création», selon la formule du dramaturge Pirandello, comment ne pas être stupéfaits, ce 21 janvier 1997, par l'élection d'un roi en Amérique du Nord, aussi démocratique qu'ait pu être la consultation populaire? Qui aurait pu prévoir un événement aussi insolite?

Denys Ier de L'Anse, né Tremblay en 1951 dans la petite ville québécoise de Rivière-du-Moulin, huitième et dernier enfant d'une famille localement respectée, apparaît certes comme un personnage des plus énigmatique. Soucieux de l'exactitude historique qu'on attend traditionnellement de toute chronique royale, je raconterai d'abord son couronnement dans le village de L'Anse-Saint-Jean. Pour comprendre cet événement si imprévisible, je remonterai le temps, évoquant son étonnante élection par référendum, faisant suite au déluge

qui s'abattit sur l'ancien royaume du Saguenay–Lac-Saint-Jean. Et comme on ne saurait expliquer cette vie extraordinaire sans connaître l'homme, j'évoquerai la jeunesse du futur roi, ses années d'initiation artistique et les hauts faits et gestes de l'Illustre Inconnu, du Très Sous-officier, et du «chef d'État d'esprit périphérique» qu'il fut avant d'être élu roi de L'Anse.

Est-ce un conte des pays du Nord? Denys Tremblay s'est-il inspiré d'*Alice au pays des merveilles*, que Lewis Carroll fait passer «de l'autre côté du miroir» pour rencontrer la Reine Rouge? Est-ce une pièce de théâtre? A-t-il voyagé vers des planètes plus chaudes et appris sa leçon de Pirandello, qui fait dire au directeur de *Six personnages en quête d'auteur*:

«Si les auteurs d'aujourd'hui ne nous donnent à représenter que des pièces stupides et ne mettent au monde que des fantoches, au lieu de créer des personnages profondément humains, il n'empêche que c'est notre orgueil d'avoir fait vivre ici, sur ces planches, des œuvres immortelles.
Le Père – Mais oui, parfaitement, vous faites vivre des êtres vivants, plus vivants que bien des êtres qui respirent et figurent sur les registres de l'état civil! Des êtres moins vrais, peut-être, mais plus réels!»

Est-ce une performance d'artiste? Ou une légende? Pourtant les fêtes du couronnement, le 24 juin 1997, paraissent bien réelles, comme en témoignèrent des journalistes du monde entier.

Nul doute que Denys Ier aime nous plonger dans la grande confusion de l'art et du réel. Nous nous retrouvons, bon gré mal gré, acteurs piégés dans le monde inversé qu'il imagine. Il s'y met en scène lui-même et ses multiples alter ego, avec un art plus réel que la vie. Il agit en conséquence, parlant de lui à la troisième personne, tantôt avec une rhétorique majestueuse, tantôt avec une ironie déjantée, tantôt comme roi, tantôt comme un enquêteur qui tenterait de le démasquer, tantôt comme son double qui s'efforcerait de le comprendre. Il prépare minutieusement chaque événement protocolaire, selon une logique fascinante, et satisfait plus que quiconque à cette remarque d'Antonin Artaud: «Pour moi nul n'a le droit de se dire auteur, c'est-à-dire créateur, que celui à qui revient le maniement direct de la scène.» (*Le théâtre et son double*) D'ailleurs la vie théâtrale du roi de L'Anse n'a pas manqué non plus de cette *cruauté*, évoquée par l'écrivain maudit.

Je ne pourrais dire, comme Boris Vian: «L'histoire est entièrement vraie, puisque je l'ai imaginée d'un bout à l'autre.» Car j'ai eu ce privilège de le rencontrer. Et bien que je doive donc tout d'abord à mes lecteurs d'attester de son existence réelle, malgré les jeux de miroirs de son théâtre, je dois pourtant reconnaître, que, même pour moi, il garde une dimension d'incertitude. Vivant? Oui, plus que quiconque. Inconnu? Non, mais certainement méconnu. Illustre? Non, mais certainement roi légitime. Je

demeure confondu par cet étrange personnage, si volatile et réaliste à la fois. Une vraie vie, comme le demandait Michel Foucault, ne peut-elle se réaliser que comme une vie autre? (*Le gouvernement de soi et le gouvernement des autres*, 1984) D'une immense ambition périphérique, il sait aussi démontrer une modestie rebelle. Déniant sans cesse ses évidentes pulsions de pouvoir, il les satisfait en les sublimant. Je vois en lui tantôt l'artiste averti mais engagé, tantôt l'homme imprévisible mais persévérant, tantôt l'intellectuel extrêmement lucide et capable de verbaliser tous ses gestes, mais pour les démystifier. Je reconnais tantôt l'acteur de comédie, tantôt l'acteur de tragédie, et toujours le roi qu'il n'a plus jamais cessé d'être, le «roi du fou», comme il aime aussi se nommer.

A-t-il lu *Ubu roi*? Je n'en doute pas, bien qu'il se soit montré, tout à l'opposé, un roi très digne et conscient de ses responsabilités monarchiques. Mais professeur *institutionnis causa* à l'Université du Québec à Chicoutimi, Denys Ier a manifestement fait des études post-doctorales au Collège de pataphysique appliquée. Devenu artiste philosophe, il est un expert reconnu en «science des solutions imaginaires», auxquelles il sait donner une vérité plus réelle que vraie, avec une telle rigueur, qu'Alfred Jarry aurait sans doute aimé le mettre en scène.

C'est un personnage complexe, grand amateur de logiques paradoxales, jongleur d'oxymorons, qui a connu la gloire, mais aussi la souffrance.

Comme roi, il fut un audacieux stratège, très impliqué auprès de ses sujets, et objet de médisances comme il sied à toute personnalité publique. Comme artiste, je le place au même niveau que Marcel Duchamp, dont il est manifestement le disciple, mais en adoptant une vision symétriquement opposée. Car Marcel Duchamp a été un provocateur à l'intérieur du monde de l'art, faisant de son retrait de l'action une démarche esthétique. Tandis que Denys Tremblay s'est consacré à la fusion de l'art et de la vie.

Je ne pouvais trouver meilleur acteur de l'ouvrage *Québec imaginaire et Canada réel* que j'ai récemment proposé au public. Il est indéniable que Denys Ier a créé son Québec imaginaire, qui s'inscrira dans notre histoire réelle. Mais les faits rapportés sont à maintes reprises si stupéfiants, que ce livre nécessitait une abondante iconographie photographique capable de témoigner de leur réalité. Le style de l'artiste, et son invention langagière qui constitue une large part de son œuvre, exigeaient en outre que nous accordions une large place aux citations, pour permettre aux lecteurs un accès direct à l'imaginaire et aux rationalisations de l'artiste.

Bien entendu, je n'ai rien sacrifié de l'esprit critique de «Son Excellence Mythanalyste» que l'Illustre Inconnu invita le 14 avril 1983 à assister, avec Pierre Restany, à l'enterrement parisien de «Sa Majesté l'Histoire de l'Art Métropolitaine». Le titre de l'événement peut surprendre le lecteur, j'en conviens, mais j'en ai été un témoin oculaire, et le récit qu'on en lira dans ce livre étonnera encore plus. Car Denys Tremblay met en scène les mythes les plus sensibles de l'art et du pouvoir, qui se font d'ailleurs toujours écho en invoquant haut et fort la création. Il les incarne lui-même, en une seule personne, celle de l'artiste roi, et découvre ainsi la perversité de leurs relations secrètes. Il en parle sans ambages dans de surprenantes *sire conférences*, si je puis dire pour ne pas être en reste de l'humour royal, où il démontre que l'art sert le pouvoir et que le pouvoir s'en sert. Mais cela lui fera la vie difficile aussi, car il apprendra à ses dépens que lorsque l'art conteste le pouvoir, le pouvoir aussi est capable de délégitimiser l'art. Il n'ignore pas davantage les rapports de l'art avec l'argent. En instituant les «Nieuwenhuys» de la banque «muniverselle» de «New Babylon», puis les «De L'Art de L'Anse» de la monarchie, il titille les liens les plus actuels de l'art et du capitalisme qui règne désormais sur notre civilisation.

Dans un va-et-vient constant entre la vie et la mort, entre Thanatos et Éros, il affirme la victoire toujours recommencée d'Éros, sous la bannière de Prométhée, l'instinct de puissance qui anime l'homme face aux dieux et à sa destinée. Et c'est ainsi, en ébranlant les mythes sociaux de notre temps, que l'artiste Denys Tremblay tente de nous aider à nous réapproprier notre imaginaire collectif. Mieux encore, dans les filets du mimétisme et de ses détournements stratégiques, il nous amène à prendre position en faveur de la diversité culturelle et de notre enracinement identitaire.

Son mérite ne s'arrête pas là. Il nous confronte à nos mythes politiques. Ses inventions fabuleuses n'auraient pas pu entrer en résonance si vive avec la réalité historique du Québec si elles ne rejoignaient notre imaginaire collectif le plus actuel. Il l'incarne par ses gestes et ses déclarations. Et il nous provoque en nous présentant le miroir grossissant de notre réalité politique. Sa fiction opère comme un surprenant révélateur sociologique, et elle acquiert un pouvoir instrumental réel. L'artiste, l'Illustre Inconnu, le roi, se sont engagés comme Dieu en trois personnes dans l'actualité québécoise la plus humaine. La bataille royale de l'imaginaire et du réel qui s'ensuit, ne pouvait manquer d'être épique. Et elle l'a été, stimulée audacieusement, dans les limites de la logique pataphysique, par notre roi de l'Anse, qui a bien failli y laisser sa tête, s'étant aventuré dans ce qu'on appellera un art extrême.

Son œuvre est un drame, qui vibre d'une douleur sourde, toujours maîtrisée. Il y a chez cet artiste une blessure intime que j'ignore, plus profonde que les épreuves politiques qu'il évoque et assez persistante pour provoquer sa rébellion et son énergie jusqu'au-boutiste. Et dans ce monde où l'imaginaire est souvent plus réel que ce que nous croyons réel, plus prometteur que ce que nous protégeons, je me suis même demandé si Denys Tremblay, mêlant la fougue, l'irréalité et la raison,

ne serait pas notre Don Quichotte québécois.

L'histoire de l'art du Québec, comme celle du Canada, comme celle de bien d'autres pays, est une histoire réductrice, qui n'a retenu que quelques noms promus par les grands marchands de l'art international. Ce sont les artistes des galeries et des musées porteurs de la bannière mondialiste, ou, comme dirait Denys Tremblay, muniverselle. En ont été exclus de nombreux autres, parfois beaucoup plus expressifs, plus créatifs, qui n'ont pas eu l'occasion, l'habileté ou le désir de se lier à ce système idéologique et commercial et d'y prospérer. Il faut toujours un important délai pour que ceux qui ne sont pas passés par cette broyeuse internationale, mais dont l'œuvre n'en est parfois que plus fascinante, réapparaissent éventuellement sur les écrans radar de la culture et obtiennent la reconnaissance qu'ils méritent, parfois d'autant plus grande qu'ils ont été plus méconnus de leur vivant. Je ne doute pas que Denys Tremblay soit l'un d'eux.

LE couronnement DU roi

Le voyageur qui arrive sur le bord du Saguenay, à mi-distance entre les ports de Tadoussac et de La Baie, au Nord de la région touristique de Charlevoix, ne saurait échapper à la séduction de L'Anse-Saint-Jean, qui fête en cette année 2009 le 150ᵉ anniversaire de son incorporation municipale. Le village est harmonieusement blotti, avec ses quelque mille cinq cents habitants, entre le fjord et le mont Édouard. Et, comble d'étonnement, son pont couvert figure au verso des anciens billets canadiens de mille dollars. Le quai sur le fleuve, qui avait brûlé en 1991, a été reconstruit, flambant neuf et mis aux normes pour les bateaux de croisière et de plaisance. On y honore les quatre saisons: ski, pêche blanche, motoneige, équitation, sports nautiques, chasse, pêche au saumon, kayak, sentiers de randonnée, etc. Ce site attire immanquablement les vacanciers. Pourtant, ce n'est pas une municipalité riche, loin de là. Du fait d'une interdiction de cultiver, établie sous la tutelle de la Compagnie de la Baie d'Hudson, qui tenait à préserver la forêt de pins blancs et se devait de respecter un traité signé avec les populations autochtones de la région, la municipalité a dû se contenter de sa vocation forestière jusqu'en 1842. Libre depuis lors de pratiquer l'agriculture, elle est cependant demeurée forestière et pauvre. On raconte que c'est pour nourrir les enfants nécessiteux qu'on y cultivait les pommiers, et on remarque encore les nombreux vergers. La population est demeurée longtemps isolée. Beaucoup de gens sont parents. On ne compte pas les Bouchard, les Tremblay, les Gaudreault, les Simard.

La création du Parc du Saguenay, qui accueille aujourd'hui quelque 40 000 visiteurs annuellement, apporte depuis 1984 un soutien touristique majeur à la municipalité, qui a même établi un jumelage avec la bourgade française de Florac, porte d'entrée, elle aussi, d'un parc national, celui des Cévennes. Un plan de développement favorise désormais la préservation du patrimoine historique, qui y est important. Et un Sommet économique a réaffirmé depuis la vocation forestière et touristique de la municipalité.

On ne peut rêver plus beau paysage pour l'événement exceptionnel qui s'y prépare. Nous sommes en 1997, le 24 juin, jour de la Saint-Jean-Baptiste, fête nationale du Québec, et, bien sûr, jour de célébration toute particulière pour L'Anse-Saint-Jean, qui honore aussi son saint patronyme. Aussi inimaginable que cela puisse paraître, les réjouissances vont cette année revêtir une signification historique tout à fait exceptionnelle, car c'est aujourd'hui que L'Anse-

Saint-Jean va célébrer le sacre de son roi. La nature est de la fête, rayonnante de couleurs estivales sous un soleil radieux. Un historien ne peut manquer de penser que Denys Ier sera le premier roi de l'histoire du Québec, peut-être un lointain descendant de celui du royaume du Saguenay, dont a entendu parler Jacques Cartier lors de son voyage d'exploration du Nouveau Monde en 1534. Le futur Denys Ier en est conscient. Il a souvent pensé à cet ancien royaume mythique et à ses populations autochtones. Il apprendra d'ailleurs bientôt d'Alexandre Aleman de Kanawake, le meilleur généalogiste du Canada pour les Indiens, qu'il est lui-même métis: «Tu descends effectivement, au cinquième degré, par ton père, de Christine Kishara, mariée à Moïse Tremblay le 10 septembre 1805. Christine est l'enfant de François Tshishara et de Marie-Rosalie Utshitshikan. Tu as également des liens de parenté autochtones (ce qui n'est pas une ascendance, mais une relation ethno-culturelle parentale) avec Marguerite Manigoshe (l'ancêtre de Serge Tremblay Manigosh).» Et il en conclura, non sans une évidente fierté, qui nous révèle d'un trait son caractère:

«Je suis donc intrinsèquement l'expression du Royaume tel qu'annoncé par Donnacona à Jacques Cartier. Je porte en moi les deux cultures. Je suis un roi métis, un artiste transdisciplinaire et un homme atypique, ou l'inverse… qu'importe, je suis quelque chose d'hybride et le bonheur l'est quelquefois aussi.» (C, 1. 10. 08)

Sans même connaître encore son origine, il a bien l'intention, ce 24 juin, d'évoquer les autochtones dans son discours de couronnement, quitte à déplaire aux deux gouvernements. Symboliquement, il veut par ce couronnement faire renaître le mythe fondateur du «royaume du Saguenay» mentionné par le chef Donaconna et ses deux fils Taignoagny et Dommagaya pour motiver Cartier à revenir au Canada. D'ailleurs, celui qui va être couronné a choisi d'arriver par le fleuve, sur le *Gaïa*, une belle goélette blanche qui contraste sur le bleu profond du fjord. Il s'est embarqué tôt ce matin au village de Rivière-Éternité, qu'il a choisi pour son nom qui évoque le hors temps. Il s'est arrêté face au Cap Trinité pour une prière intime, en présence de la flottille d'accompagnement du roi. Le site est imposant, et Denys est saisi d'angoisse en ce jour de liesse qui débute. Quelle sera l'issue de cette aventure extraordinaire? Réussira-t-il à relever tous les défis qu'il a lui-même imaginés? N'a-t-il pas préjugé de ses forces? Échappera-t-il aux malheurs qui guettent tout projet insolite? Des pensées prémonitoires l'assaillent. La roche endurcie du promontoire lui paraît sombre et même tragique au-dessus de l'abîme du fjord où elle se reflète en s'inversant. Il regarde sa famille, auprès de lui, pense à ses parents âgés et craint les mauvais présages. Mais le temps presse. Il donne au capitaine le signal de reprendre la navigation vers L'Anse-Saint-Jean.

Lorsque le bateau accoste au nouveau quai du village, celui qui va inaugurer ainsi «la première monarchie municipale des Amériques» est accueilli avec tous les honneurs, comme un demi-dieu venu du fleuve. Il est accompagné de la princesse Marie, sa conjointe. Les amarres sont jetées et il franchit la passerelle symbolique qui le conduit à terre. Son premier geste est d'inviter les membres de sa famille, ses frères et ses fils à remettre les sept bijoux de la Couronne aux membres du conseil municipal qui se présentent à lui. Il veut, par ce rite, signifier le changement de destin qu'il assume, quittant le cadre familier de sa vie précédente pour s'avancer vers l'horizon inconnu de la nouvelle charge qu'il va assumer. La foule se presse autour d'eux. Les corporations sont là, en bon ordre, les uniformes brillent. «Vive le nouveau roi!» La joie de tous exprime le grand espoir qu'éveille cette arrivée solennelle. Et c'est une véritable procession triomphale qui l'accompagne jusqu'à l'église Saint-Jean-Baptiste. Le nouveau roi se prête avec simplicité à cette exubérance populaire. Il apprend sa gestuelle, il contrôle ses mots, pour ne pas être dépassé par cette atmosphère de liesse. Il prête attention à tous, il serre des mains, mais il est pensif déjà, très conscient des attentes de tous. Il sait qu'il ne sera pas aisé d'être roi. D'autant plus qu'il

compte bien jouer pleinement son rôle royal, et qu'il a déjà une vision claire de son devoir. Ainsi, il a décidé d'inclure dans son discours du trône une demande audacieuse à la reine Élisabeth II d'Angleterre, qui se trouve précisément ce jour-là en visite au Canada, à Terre-Neuve. Il sollicitera son acceptation d'une monarchie québécoise distincte de la sienne, permettant la souveraineté politique du Québec sans la séparation légale du Canada. Cela aussi risque de déplaire fortement à Ottawa autant qu'à Québec. Mais il veut clairement signifier ainsi qu'il ne se contentera pas du rôle touristique auquel plusieurs médias tendent depuis quelques mois de réduire la monarchie.

D'ailleurs, les journalistes tentent de l'approcher. Il sait qu'ils assisteront nombreux au couronnement. Quelque deux cents demandes d'entrevues sont arrivées à l'hôtel de ville. Et plusieurs viennent de l'étranger, du Japon, de

1. *Départ du couple royal sur le bateau Le Gaïa*
2. *Remise de l'épée pacifique par un membre de la famille Tremblay à un membre du conseil municipal*
3. *Salutations royales*
4. *Arrivée triomphale sur le quai de L'Anse-Saint-Jean*
5. *Sourire prémonitoire*
6. *L'enthousiasme de la population anjeannoise est palpable*
7. *Remise du maître spirituel par un membre de la famille Tremblay à un membre du conseil municipal*

Grande-Bretagne ou de Russie. L'événement a une grande portée régionale et nationale. Il y a plus de quatre mille personnes aujourd'hui à L'Anse-Saint-Jean.

Arrivé devant l'église Saint-Jean-Baptiste, il doit d'abord répondre au salut royal de la garde. Puis il traverse la foule, imposante qui se presse à l'entrée de l'église et ne manquerait l'événement à aucun prix. Il s'avance entre les haies d'honneur que lui font les Chevaliers de Colomb, et se présente à la porte de l'église. Elle est pleine à craquer. Les places ont dû être tirées au sort. Toutes les personnalités sont là pour assister au couronnement de Denys Ier de L'Anse. Et cet après-midi, une quarantaine de drapeaux royaux vont flotter au vent sur divers édifices du village.

Pourquoi une telle initiative? Comment ce village a-t-il pu en venir à poser un tel geste? Après le déluge de juillet 1996, la municipalité était exsangue. Les reconstructions avaient exigé de nombreux emprunts. Le chômage grimpait, les jeunes s'en allaient. On manquait d'argent pour tout. On ne trouvait pas le financement requis pour le développement de la station de ski du mont Édouard, ni pour le projet de fresque végétale géante proposé par l'artiste Denys Tremblay pour aider la région sur le plan économique et touristique. On s'était mis à la recherche d'une initiative forte de relance. Sollicité, Denys Tremblay avait donc suggéré de se

mettre en quête d'un porte-parole médiatique. Et l'idée était venue à l'artiste: pourquoi pas un roi municipal? L'idée était certes originale et audacieuse. Et c'est pour cette raison qu'elle avait retenu aussitôt l'attention. Elle ferait certainement connaître le village, une condition pour obtenir des appuis. Et qui accepterait le rôle? Personne n'était prêt à en prendre le risque. Et ce fut finalement lui, l'artiste, qui avait proposé l'idée, qui devrait l'incarner. Encore fallait-il obtenir l'accord de la population. Le maire Laurent-Yves Simard, un homme de grande conviction, qui avait mené vaillamment la bataille contre le déluge, puis de la reconstruction, était épuisé. Mais, après mûre réflexion, comme il me l'a rapporté lui-même, il s'était complètement engagé dans le projet de Denys Tremblay, dont il voyait tout l'effet positif qu'on pouvait en attendre.

Le conseil municipal, pleinement acquis à l'idée, de même que la Société de développement économique, avaient donc entrepris de faire connaître à la population le projet et décidé que sa réalisation nécessiterait un vote populaire par référendum. Un prospectus promotionnel avait donc été distribué dans toute la municipalité:

«Un roi pour L'Anse-Saint-Jean

«Une question d'avenir économique

«D'une façon unanime, les membres du conseil municipal de L'Anse-Saint-Jean veulent

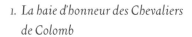

1. *La haie d'honneur des Chevaliers de Colomb*
2. *Le roi désigné arrive à l'église*
3. *Les gardes paroissiaux de nombreuses municipalités sont présents*
4. *L'église Saint-Jean-Baptiste de L'Anse-Saint-Jean*

une monarchie municipale à L'Anse-Saint-Jean afin de se doter d'un instrument permanent de promotion et de développement économique. Le but visé par le conseil est d'obtenir une plus grande solidarité communautaire autour de l'idée du royaume de L'Anse-Saint-Jean. Ils veulent également obtenir une plus grande visibilité nationale. Pour le conseil, il est clair qu'il faut tourner la page du déluge et affronter l'an 2000 en réalisant des développements économiques majeurs pouvant créer des emplois permanents.

«Certes, l'argent manque actuellement pour concrétiser ces développements, mais le courage ne manque pas pour innover en proposant à la population la création d'un instrument de financement tout à fait unique, soit la première monarchie municipale du monde.

«Le fait d'avoir un véritable roi nous permettra d'atteindre nos objectifs économiques et touristiques, car le roi aura comme premier mandat de trouver un million de dollars à l'extérieur pour financer le projet Saint-Jean-du-Millénaire. Ce projet permettra de rendre le mont Édouard accessible pendant les quatre saisons et d'attirer des milliers de touristes et de pèlerins. (...)

« Le conseil a réfléchi longuement avant de se lancer dans cette aventure et il a pris toutes les garanties nécessaires pour que l'engagement financier du conseil se limite à environ 4000 $ pour les frais du référendum. Les trois serments (religieux, civique et constitutionnel) que le roi devra prononcer à l'église devant ses pairs encadreront son mandat de manière stricte et empêcheront toute possibilité d'ingérence sur le conseil. Le roi pourra régner en toute quiétude pendant que nous gouvernerons la scène municipale en toute liberté. »

Suivaient deux pages détaillées sur le calendrier et les revenus directs et indirects. Puis la conclusion développait un propos économiquement et politiquement explicite et appelait au soutien actif de la population:

« Nous vivons dans un monde de plus en plus compétitif et de plus en plus difficile sur le plan économique. Nous devons nous démarquer des autres si nous voulons réussir. La monarchie municipale de L'Anse-Saint-Jean nous apparaît comme un moyen très efficace et peu coûteux pour financer nos projets futurs.

« L'instauration d'une monarchie municipale à L'Anse-Saint-Jean a une dimension politique importante (un territoire symbolique et souverain tout en restant uni avec le Québec et le Canada), une dimension sociologique importante (pour la première fois en Amérique, une population se représentera elle-même par un roi natif d'ici), une dimension religieuse importante (notre saint-patron sera enfin honoré par un oratoire végétal) et une dimension économique importante (revenus directs de un million de dollars plus les revenus indirects).

« Nous devons changer les choses si nous voulons un avenir meilleur pour nous-mêmes et nos enfants.

« Vous devrez vous prononcer lors du référendum du 19 janvier 1997, car ce référendum a une importance considérable pour notre futur.

« Un oui massif pour notre roi signifiera un oui massif pour notre avenir économique. » (RPASJ, 4)

Ce serait une monarchie constitutionnelle, non héréditaire, sans privilèges pour le roi, ni financiers ni d'aucun ordre. La question du référendum fut donc rédigée en termes clairs et explicites et imprimée sur les bulletins de vote: Voulez-vous que l'Illustre Inconnu soit proclamé roi municipal de L'Anse-Saint-Jean avec mandat de promouvoir le projet Saint-Jean-du-Millénaire? Oui? Non?

La réponse fut sans équivoque: 73,9 % de oui.

1. Bulletin de vote du référendum du 17 janvier 1997.
Les résultats furent connus le 21 janvier

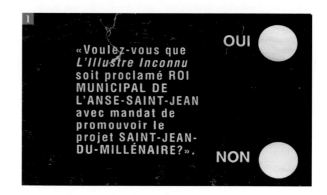

«Voulez-vous que *L'Illustre Inconnu* soit proclamé ROI MUNICIPAL DE L'ANSE-SAINT-JEAN avec mandat de promouvoir le projet SAINT-JEAN-DU-MILLÉNAIRE?».

OUI

NON

828 personnes avaient voté, sur quelque mille électeurs potentiels, ce qui représentait un très fort taux de participation, tout à fait inhabituel. Et il était évident que l'enthousiasme manifesté par la population face au projet, qui s'était abondamment exprimé dans les assemblées de cuisine des maisons du village, se confirmait. L'Anse-Saint-Jean venait d'élire un roi, certes sans privilèges, un roi démocratique qui prêterait serment d'allégeance au peuple. Et parodiant la Révolution tranquille, qui avait marqué l'entrée du Québec dans la modernité, Denys Tremblay aime évoquer une *Roi-volution* tranquille. Le procès-verbal qui fut rédigé mérite à coup sûr d'être reproduit ici:

«Procès-verbal de la séance spéciale des membres du conseil municipal de L'Anse-Saint-Jean qui se tenait le 21 janvier 1997 à douze heures (midi) sous la présidence d'honneur de M. Laurent-Yves Simard, maire. Sont présents les conseillères et conseillers suivants: M. Rémi Gagné, Mme Laurence Gaudreault, M. Iréné Gaudreault, Mme Claudette Côté, M. Guy Boudreault, Mme Rita Gaudreault, ainsi que Mme Lolita Boudreault, secrétaire-trésorière.

ORDRE DU JOUR
1. Ouverture de la réunion
2. Acceptation de la séance
3. Dévoilement des résultats
4. La proclamation ou le refus
5. Assermentation s'il y a lieu
6. Fermeture de la séance

1. Ouverture de la séance (039-97)
L'ouverture de la séance est proposée par Mme Rita Gaudreault.

2. Acceptation de l'ordre du jour (040-97)
Il est proposé par Mme Claudette Côté, appuyée par M. Iréné Gaudreault et résolu à l'unanimité que l'ordre du jour soit accepté tel que lu.

3. Dévoilement des résultats du référendum (041-97)
La secrétaire-trésorière dévoile les résultats du référendum dont la question était la suivante: Voulez-vous que l'Illustre Inconnu soit proclamé roi municipal de L'Anse Saint-Jean avec mandat de promouvoir le projet Saint-Jean-Du-Millénaire.

Les résultats sont: 600 oui, 222 non, 5 bulletins

rejetés et un bulletin annulé.

4. Proclamation (042-97)

ATTENDU le taux de participation de la population de L'Anse-Saint-Jean au scrutin référendaire du 19 janvier dernier;

ATTENDU que les résultats sont: 600 oui, 222 non, 5 rejets et 1 annulation;

À CES CAUSES, il est proposé par M. Guy Boudreault, appuyé par Mme Laurence Gaudreault et résolu d'instaurer une monarchie municipale et de proclamer l'Illustre Inconnu roi municipal de L'Anse-Saint-Jean avec mandat de promouvoir le projet Saint-Jean-Du-Millénaire.

Monsieur le maire demande à chaque conseillère et conseiller si elle accepte et s'il accepte la résolution telle que proposée;

Ayant tous répondus par l'affirmative, la résolution est donc acceptée unanimement.

Monsieur le maire pose la question suivante à sa Majesté:

–Sous quel nom voulez-vous régner comme roi municipal de L'Anse-Saint-Jean,

La réponse est la suivante:

–Je règnerai sous le nom de Denys Ier de L'Anse.

5. Assermentation (043-97)

Le roi de L'Anse prête les trois (3) serments.

Moi, Denys Ier de L'Anse, jure d'être un roi très chrétien, défenseur de Dieu et de ses églises!

Moi, Denys Ier de L'Anse, jure allégeance sincère et fidèle au peuple anjeannois que je représenterai et défendrai au meilleur de mes connaissances et de mes capacités!

Moi, Denys Ier de L'Anse, jure de respecter la constitution municipale actuelle de L'Anse-Saint-Jean et la constitution future du royaume, s'il en est un!

6. Femeture de la séance (044-97)

M. Rémi Gagné propose la fermeture de la séance.

Fait et passé à L'Anse-Saint-Jean,

Ce vingt et un janvier de l'an mille neuf cent quatre-vingt-dix-sept.

Monsieur Laurent-Yves Simard, maire

Madame Lolita Boudreault, secr.-trés.»

Et d'un commun accord entre le conseil municipal et Denys Ier, une «maison royale» est établie, qui permettra de gérer les affaires de la monarchie. Avait-on pour autant élu un roi légitime? Le vote était-il recevable? Le référendum était-il légal du point de vue de la constitution canadienne? Ou doit-on le considérer plus modestement – ou symboliquement – comme un événement culturel? La question mérite d'être posée. L'option constitutionnelle d'une monarchie municipale n'est évidemment mentionnée nulle part. La constitution du Canada prévoit certes un chef d'État fédéral (le gouverneur général), et un chef d'État provincial (le lieutenant-gouverneur), mais pas de représentant de la Reine pour le pouvoir municipal, qui relève du gouvernement québécois seulement. Du côté du Québec, on ne peut invoquer de constitution, puisqu'il n'en existe pas, mais seulement la charte qui régit les municipalités. Elle ne prévoit évidemment pas de référendum monarchique Mais elle exige un accord préalable du gouvernement pour tout référendum. Une demande d'autorisation avait donc été adressée en bonne et due forme au gouvernement du Québec, proposant la date du 21 janvier. Et une première réponse du ministre de l'époque avait été négative, soulignant qu'un référendum ne pouvait être organisé qu'un dimanche. On respecta donc cette exigence. Le référendum fut organisé le dimanche 19 et le résultat proclamé seulement le mardi 21 janvier, date à laquelle Denys Tremblay tenait pour des raisons symboliques. Car c'est la date anniversaire de la décapitation du roi de France Louis XVI par les révolutionnaires de 1793. C'est ce même 21 janvier 1793 que la Chambre d'assemblée du Bas-Canada décida de rédiger son procès-verbal dans les deux langues, le français et l'anglais et refusa de donner la préséance à l'anglais. C'est le 21 janvier 1948 que le drapeau fleurdelisé du Québec fut hissé pour la première fois sur le parlement du Québec. Et ce 21 janvier 1997, nous étions six mois, jour pour jour, après le déluge de juillet 1996. L'artiste ne cesse de choisir toutes les dates de sa vie officielle avec un soin minutieux. Est-il

superstitieux? À tout le moins est-il soucieux sans doute d'inscrire ses actes dans un calendrier historique qui contribuera à leur conférer plus de signification et de réalité.

Ainsi, toutes les règles référendaires ont été suivies, et on ne peut prétendre que le vote ait été anticonstitutionnel. Il n'a d'ailleurs jamais été contesté par aucun des gouvernements. Aucun débat, ni local, ni québécois ne l'a jamais remis en question. Même les médias les plus hostiles ne l'ont jamais mis en doute, pas plus que la population elle-même, ni le conseil municipal, ni, bien sûr, le roi Denys Ier lui-même. D'ailleurs, des entretiens suivis avec les deux paliers de gouvernement ont eu lieu depuis son élection, tant avec lui-même qu'avec la municipalité, sans qu'une telle question ne soit jamais soulevée. Denys Ier rencontrera même, ès qualités, le Premier ministre Lucien Bouchard, la ministre Louise Harel, le gouverneur général Roméo Leblanc. Il est un roi légitime.

C'est donc avec une conviction profonde, que le roi qui va être couronné se remémore les derniers mois, tout en se préparant mentalement à entrer dans l'église pour la cérémonie.

Pourquoi faire intervenir l'Église? Denys Tremblay n'envisage pas d'être un roi laïc. Il tient à respecter la tradition monarchique. Et le curé Raymond Larouche de L'Anse-Saint-Jean ne l'a-t-il pas proposé lui-même? S'inspirant de son prédécesseur, qui s'était personnellement

engagé avec la population contre le gouvernement dans une lutte en faveur de la création d'une station de ski au mont Édouard, il a la conviction qu'il pourra ainsi contribuer à cette relance économique dont ses paroissiens ont tant besoin, et qu'«un certain retour du sacré dans la vie communautaire» serait bénéfique à tous. (MMASJ, 9) Il est sensible aussi au ressourcement identitaire que favorise l'événement. Denys Tremblay sait que ce couronnement plus qu'insolite exige une sacralisation que l'assermentation civile à l'hôtel de ville qui a eu lieu le 21 janvier ne saurait lui conférer. Il tient à consolider la naissance de la monarchie en assurant sa légitimité religieuse:

«Aujourd'hui, la monarchie municipale de L'Anse-Saint-Jean revendique cet héritage religieux, mais le replace dans la perspective contemporaine. Elle affirme hors de tout doute le caractère chrétien qu'elle tient à lui donner même si nous vivons

1. *Tous n'ont pu entrer dans l'église du couronnement*
2. *La convivialité villageoise de l'événement renforce sa solennité*
3. *Le roi prête ses trois serments d'office (religieux, civique et constitutionnel)*
4. *Toutes les places à l'église avaient été tirées au sort*

dans un monde complètement laïcisé.» (CSAR)

Des trois serments qu'il devra prêter, le premier sera religieux. Il promettra de servir Dieu. Pour autant, il ne conçoit pas son règne comme une monarchie de droit, mais «de devoir divin». Il sera «roi très chrétien» lors de ce couronnement, mais surtout politiquement engagé dans les affaires supérieures. (C, 03. 01. 09)

C'est l'artiste François-Léo Tremblay qui a conçu tous les détails du couronnement. Il a réuni un comité de quelque cinq cents bénévoles et recruté les artistes de la région pour animer les rues du village. Il est très engagé dans cette démarche: «Nous assistons à la naissance d'une monarchie contemporaine, une monarchie à réinventer. On ne fait pas semblant de jouer au roi, on ne frime pas. Nous avons un vrai roi à l'image de notre communauté et nous tenons à ce que le couronnement soit noble, simple et concret.» D'ailleurs, dans *Le Quotidien* du 25 juin 1997, la journaliste Christine Tremblay explique: «Pour ce faire, les organisateurs ont écarté toute manifestation à connotation folklorique, médiévale ou historique». La chorale professionnelle Amadeus, présidée par Roch Laroche, s'est spontanément offerte pour soutenir la chorale de l'Anse dans les chants. Et de nombreuses personnes ont souhaité contribuer au couronnement de diverses façons, offrant des services alimentaires, de limousine, de photographie, de décors, etc. Un article de journal estime à 400 000 $ la valeur de toutes ces contributions.

Les fanfares de la région, qui ont convergé vers L'Anse-Saint-Jean, saluent le roi, se mêlant aux applaudissements. Il s'avance et est accueilli par le curé, qui l'accompagne jusqu'au chœur de l'église, tandis que résonnent des chants religieux. Suivent le maire et les conseillers qui apportent les joyaux de la couronne jusqu'à l'autel et les y déposent solennellement. Prières et lectures saintes se succèdent, puis le curé demande à «l'élu du peuple de s'avancer vers lui pour être couronné». Le moment est solennel et le silence absolu dans la petite église, lorsque le nouveau roi, debout, se fige dans son manteau royal, pleinement conscient de l'intensité de cet instant. Le président de la cérémonie lui tend la bible sur laquelle le roi pose la main pour répéter d'une voix forte, lentement, les trois serments religieux, civique et constitutionnel qu'il avait déjà prononcés le 21 janvier. À la fin de chaque serment, toute l'assemblée répond: «Nous approuvons, nous le voulons, qu'il en soit ainsi.» Et un Amen retentissant est chanté par la chorale.

Puis le prêtre dépose de l'eau bénite sur la tête du roi en disant:

– Denys Ier de L'Anse, je te bénis pour la royauté de L'Anse-Saint-Jean et pour notre quête communautaire d'un avenir meilleur.

Le roi répond:

–Amen.

L'assistance applaudit et crie de nouveau, à plusieurs reprises: «Vive le roi!» Ensuite, le curé bénit les sept joyaux de la Couronne: l'épée pacifique, le collier de l'Ordre des compagnons et compagnes du millénaire, l'anneau référendaire, le «maître spirituel», la «main du ciel» et la couronne. Après chaque bénédiction, l'assemblée chante: «Gloire et louange à toi, Seigneur Jésus.»

L'heure du couronnement est venue. Le roi pose un genou à terre. Le maire prend la couronne, la remet au président qui la dépose sur la tête du roi pour marquer le caractère paroissial et municipal de cette monarchie. Et l'église retentit de l'*Alleluia* de Haendel, tandis que le roi prend place cérémonieusement sur le trône. Denys Ier se souvient d'avoir lu qu'anciennement la couronne du roi de France était une métaphore de la couronne d'épines du Christ, et que les premières couronnes avaient à l'intérieur une vraie couronne d'épines. Le pauvre François Ier s'en était plaint douloureusement, rapporte-t-on.

Puis c'est l'adresse du maire Laurent-Yves Simard au roi. Le maire présente le peuple anjeannois au roi. Il souligne les grandes réalisations passées qui sont toutes des exemples de courage, de ténacité et d'audace. Le passé est garant de l'avenir. Le roi prend à son tour la parole. Il a beaucoup réfléchi depuis des mois et attentivement rédigé le discours du trône qu'il va prononcer. Il s'est assuré de l'aval des conseillers municipaux, car il va fonder officiellement par ses paroles la monarchie légitime de L'Anse-Saint-Jean. Devenu majesté par son couronnement, le roi prend acte du courage de son peuple et fonde officiellement le royaume légitime de L'Anse-Saint-Jean. Pour lui, les temps nouveaux sont arrivés et il faut métaphoriquement traverser la rivière, enjamber le pont et rejoindre l'autre rive.

Il rappelle le passé, il évoque le présent, il invite à envisager le futur avec de nouveaux espoirs, et il précise sa position royale:

«Notre politique extérieure avec nos voisins légitimes que sont le Québec et le Canada ne peut pas être celle d'un pays étranger comme la France par exemple, soit celle de la non-indifférence et de la non-ingérence, tout simplement parce que nous sommes pleinement québécois et pleinement canadiens. Nous sommes conscients que notre modeste innovation monarchique à l'échelle municipale bouscule les idées préconçues et les partis pris traditionnels,

1. *Bénédiction du roi par le curé Raymond Larouche*
2. *Le roi portant la couronne et le grand collier de l'Ordre des compagnons et compagnes du millénaire*
3. *Le roi s'apprête à s'adresser directement à la reine du Canada Elisabeth II*
4. *Le couronnement, le moment magique et solennel*

mais notre initiative ne bouscule pas l'intelligence et la droiture politique, encore moins l'imaginaire collectif dont nous avons un urgent besoin pour avancer. Nous avons posé la question royale plutôt que nationale, parce que nous voulions être légitimement souverain tout en restant légalement uni avec le Québec et le Canada. 74 % des Anjeannois ont opté franchement pour cette proposition novatrice afin d'exister pleinement et différemment tout en respectant les liens politiques aux échelles provinciale et fédérale.

«Certes, nous suivrons le Québec là où il ira, car nous aurons toujours la politique de notre géographie, comme nous avons celle de notre passé historique. Peut-être notre Québec doit-il aller dans une direction qu'il n'avait pas encore envisagée jusqu'ici? Peut-être notre Canada doit-il penser à des solutions qu'il n'avait pas encore envisagées pour conserver le Québec? Peut-être est-il temps pour nos voisins légitimes et nos partenaires légaux de poser la question royale plutôt que nationale à leur tour? Peut-être le temps est-il arrivé de payer le véritable prix du Québec et du Canada qui est l'originalité, l'innovation, l'intelligence, l'imaginaire et l'audace. Peut-être est-il temps pour eux également de traverser la rivière? Nous invitons formellement nos voisins symboliques à reconnaître implicitement ou explicitement notre modeste royaume et à l'utiliser à des fins d'imagination et d'innovation politique pour assumer nos contradictions politiques plutôt que de tenter de les résoudre. Nous prions Dieu pour que nos partenaires québécois et canadiens n'éteignent pas notre petite chandelle démocratique dans l'obscurité de la nuit constitutionnelle dans laquelle nous sommes plongés depuis tant d'années. Nous leur demandons de vivre intensément notre légitimité et notre différence au bénéfice de leurs options politiques. Le système parlementaire québécois et canadien possède cette flexibilité et cette maturité nécessaire à la reconnaissance de l'exception qui confirme la règle. Après tout, ce système parlementaire d'inspiration britannique nous appartient de plein droit depuis que le père du nationalisme québécois, M. Pierre Bédard, a contribué à le sauver en réclamant la responsabilité ministérielle. Acquise plus tard, cette responsabilité ministérielle a permis aux rois et reines du Canada de régner en toute sécurité constitutionnelle pendant que les chefs des gouvernements canadien et québécois ont pu gouverner en toute insécurité politique. Jamais l'idée même de la souveraineté n'aurait pu s'exprimer si clairement dans une république française ou américaine, par exemple.»

Et après s'être adressé à la reine Élisabeth II dans les termes qu'il a convenus afin de ne choquer personne pour demander la reconnaissance du royaume, il évoque nos liens avec

1. *Une foule en liesse accueille le nouveau roi couronné à sa sortie de l'église*
2. *Le roi présente sa couronne au ciel et au peuple*
3. *Moment d'allégresse artistique et sociale*

les autochtones, puis avec les colonisateurs anglais :

«Nos ancêtres français se sont comportés comme des êtres binaires et primitifs envers les Amérindiens. Ils les ont spoliés, molestés, dénigrés et négligés en suivant les coutumes barbares de leur époque. Nous prions Dieu pour que les victimes de nos agressions passées puissent envisager la guérison et nous pardonner sincèrement nos erreurs passées inqualifiables. Certes, nos conquérants anglais de 1760 se sont également comportés envers nous comme des êtres binaires et primitifs et ils nous ont naturellement spoliés, molestés, dénigrés et négligés en suivant l'exemple que nous leur avons nous-mêmes donné par notre comportement envers les Amérindiens. Nous envisageons la guérison et nous pardonnons ces erreurs inqualifiables car nous voulons enjamber le pont avec la légèreté du pardon retrouvé.»

Et c'est avec le sentiment du devoir accompli qu'il signe le décret royal de ses serments en présence des pairs du royaume, tandis que des chants religieux closent la cérémonie. Puis le *Canticorum jubilo* retentit pendant la sortie triomphale du roi couronné. Il s'arrête sur le seuil de l'église. Les cloches sonnent, se mêlant à nouveau aux applaudissements que soulève sa présentation au peuple à l'extérieur de l'église. Tous veulent le voir de près, le photographier et admirer les bijoux de la Couronne, qui ont été bénis par le curé. (CSAR) Un communiqué officiel avait déjà annoncé la création de ces bijoux en précisant leur symbolique:

«Ces bijoux devront répondre à des normes de conception tout à fait inédites. Premièrement, ils devront exprimer symboliquement mais sobrement la noblesse de cœur et d'esprit du peuple anjeannois. Deuxièmement, ils devront exprimer la filiation de cette petite monarchie municipale d'Amérique avec la grande monarchie française. Enfin, ils devront être novateurs dans la nature de l'art actuel tout en permettant une compréhension immédiate du premier royaume souverain en terre d'Amérique qui restera cependant uni avec le Québec et le Canada.»

Bien sûr, ces bijoux ne contiennent aucun métal ni aucune pierre précieuse. Destinés à être exposés en permanence pour les touristes dans la maison royale, ils ont pu être réalisés grâce à une subvention du Conseil des arts du Canada. Denys Tremblay a tenu à associer les artistes locaux Lorna et Serge Boily, Monique Jalbert, Louise Saulnier, Danielle Lapierre, Paxcal Bouchard, André Laflamme et Chantale Desprès à leur conception et à leur production. (MMASJ, 10-16)

La couronne est posée sur un bandeau de peau d'ours (l'animal mythique des Montagnais). Sur ce bandeau apparaissent quatre fleurs de lys en pierreries régionales et quatre plaques représentant l'ours, le colibri (très fréquent à L'Anse-Saint-Jean à cause des vergers de pommiers), le saumon de la rivière, les fleurs de quatre-temps (c'est la fleur à quatre pétales, le cornouiller du Canada, qui évoque aussi les quatre saisons). Le bonnet intérieur est surmonté d'un voile délicat de branchages d'épinette en bronze et symbolise la montagne. La couronne elle-même est en aluminium avec un réseau de branches de pommiers en bourgeons symbolisant la récolte future et les quatre saisons du fjord.

Le collier, destiné à être porté lors des grandes cérémonies et des remises des médailles de l'Ordre aux compagnons et compagnes du millénaire (tous ceux qui ont aidé le roi dans son mandat), est constitué de douze parties pour les douze mois. On y reconnaît aussi les silhouettes de l'ours, du saumon et du colibri.

Le drapeau compte quatre couleurs: bleu, blanc, jaune, vert. Les armoiries, dessinées par

1. *La couronne de L'Anse-Saint-Jean, artiste: Lorna Boily*
2. *Le grand collier de l'Ordre des compagnons et compagnes du Millénaire, artistes: Monique Jalbert et Louise Saulnier*
3. *Le maître spirituel, artiste: Paxcal Bouchard*
4. *La main du ciel, artiste: Serge Boily*
5. *L'épée pacifique, artiste: Serge Boily*
6. *L'anneau référendaire, artistes: Monique Jalbert et Louise Saulnier*
7. *La toge du grand protocole, artistes: Danielle Lapierre en collaboration avec André Laflamme et Chantale Després*

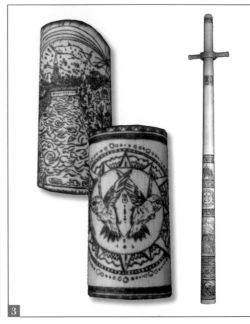

François-Léo Tremblay reprennent l'écusson original de la municipalité, lui aussi avec le saumon, l'ours et le colibri, ainsi que deux plantes courantes, le pommier fleuri et la fleur de quatre-temps, encadrant une vue du fjord et du fameux pont couvert de L'Anse-Saint-Jean. L'inscription de la bannière parodie le célèbre «Je me souviens» québécois, qui évoque l'histoire, avec cette devise nouvelle: «Je me souviens de mon avenir», pour signifier que notre futur dépend de notre passé.

Denys Tremblay s'est inspiré de la figure d'Ivan le Terrible dans le film d'Eisenstein, car son costume d'apparat, tel qu'on le voit sur la photo officielle du couronnement fait penser à celui d'un tsar de Russie. Il aime ce film, qu'il a montré souvent à ses étudiants, et il a voulu donner ainsi une tonalité boréale à la cérémonie. Les insignes du pouvoir sont chargés d'une symbolique aussi soigneusement pensée que les dates de cérémonie choisies

1. *Le règne du roi sous la protection de la vierge*
2. *Les armoiries populaires du royaume (non conformes aux règles héraldiques, dessinées par l'artiste anjeannois François-Léo Tremblay*
3. *Détail du maître spirituel gravé par l'artiste Paxcal Bouchard*
4. *Le drapeau du royaume de L'Anse-Saint-Jean, fusion des drapeaux du Saguenay, du Québec et de la France*

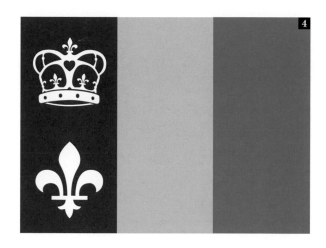

par Denys Tremblay. La main évoque la justice ancestrale et les origines religieuses du peuple et de son roi. Elle est constituée d'une longue tige de bois surmontée de la main de saint Jean-Baptiste pointant vers le ciel. L'anneau référendaire exprime la fidélité du roi et de ses sujets, qui l'ont élu, et aussi, selon une idée chère à l'artiste, le lien entre l'art et la vie. On y a ciselé la tête de saint Jean-Baptiste entouré de branches de pommier. Cet anneau sert également de sceau royal. Le maître spirituel remplace le spectre traditionnel. C'est un tube de bois illustré de dessins anjeannois. Il évoque la souveraineté municipale. De la même hauteur que le roi, soit cinq pieds dix pouces et demi, il symbolise l'harmonie entre le système métrique français (mètre) et le système anglais (pouces, pieds). Il doit être tenu avec la main du cœur, la gauche. Vide à l'intérieur, il assure une résonance vocale et sert donc de porte-voix. L'épée pacifique a été conçue à l'opposé du symbole traditionnel de la puissance militaire. Cette épée pacifique exprime la non-puissance d'un royaume pacifique, qui n'a pas besoin d'armée et ne peut agir que par la persuasion. L'épée possède donc deux poignées, l'une à chaque extrémité de la lame, et ne peut être offensive. Elle est utilisée pour anoblir les dignitaires du royaume. La toge du grand protocole est sobre, mais majestueuse. Elle sera portée seulement lors des grandes cérémonies officielles et civiques: fête royale, discours du trône, réunions des compagnons du millénaire, etc. Cette toge a été bénite lors du couronnement et symbolise la fierté du peuple anjeannois qui a choisi son roi. La toge du petit protocole est réservée aux cérémonies plus intimes. Le no-smoking royal est prévu pour les soirées royales. Tous ces vêtements sont vert foncé, couleur du royaume.

Tout royaume se doit de battre monnaie. Denys Tremblay a donc conçu les De L'Art de L'Anse. Ils s'échangeront à parité avec la monnaie canadienne pour stimuler l'économie locale, qui en a bien besoin. En effet, on a prévu que beaucoup de personnes auront tendance à garder les billets pour les collectionner. Mais, dans tous les cas, la caisse populaire de L'Anse-Saint-Jean, soucieuse elle aussi de contribuer à la relance économique de la municipalité, s'est engagée à échanger les De L'Art de L'Anse à parité.

Denys Ier n'oublie pas que le premier mandat de sa monarchie consiste à trouver le financement de la fresque végétale Saint-Jean-du-Millénaire. Il décide donc de créer des titres de noblesse et trois duchés, neuf comtés et vingt et unes baronnies, pour récompenser les donateurs exceptionnels. Et il est mentionné que ces titres de noblesse, qui seront les seuls disponibles en Amérique du Nord, seront transmissibles à l'aîné(e) de la famille du donateur. Il obtiendra d'ailleurs que la Commission de toponymie du Québec approuve officiellement les noms des duchés, comtés et baronnies du royaume municipal.

On a pensé aussi à commercialiser une nouvelle bière. La maison royale et les Brasseurs de L'Anse Inc. font savoir qu'ils «sont heureux d'annoncer la création de la première bière monarchique des Amériques. Dès le mois de juin, les gens de la région pourront déguster en primeur une bière inédite nommée La Royale de L'Anse». Et la publicité précise que:

«C'est son style de brassage ancestral qui fera la particularité de cette bière. Ses six différents malts et ses trois différents houblons sont importés directement de l'Angleterre – patrie des bières monarchiques. Cette combinaison secrète associée à notre eau de source anjeannoise, d'une qualité remarquable, produira une bière

parfaitement équilibrée et d'un goût délicat. Cette bière pourra concurrencer les plus hauts standards de bières monarchiques dans le monde. Le roi Denys Ier de L'Anse agira comme porte-parole pour la bière Royale de L'Anse. Une redevance pour chaque bière vendue sera versée directement à la Fondation du millénaire pour financer le projet Saint-Jean-du-Millénaire sur le mont Édouard. On estime que ces royautés philanthropiques pourraient atteindre les 15 000 $ par année.»

Le succès est immédiat et, dès la première année, cette nouvelle bière assure aux Brasseurs de L'Anse une augmentation de 30 % de leur chiffre d'affaire.

1. *Étiquette de la bière Royale de L'Anse*
2. *Le taux de change de la monnaie anjeannoise, à parité avec la monnaie canadienne*
3. *Billet de 2 De L'Art de L'Anse, dessiné par l'artiste François-Léo Tremblay*
4. *Billet de 5 De L'Art de L'Anse, dessiné par l'artiste François-Léo Tremblay*

La nouvelle monarchie permettra donc, lors des consultations publiques, d'intégrer toutes ces initiatives et de jouer un rôle-clé dans le plan de développement économique et touristique. Le succès médiatique du couronnement est considérable. Cinquante-deux journalistes accrédités sont venus à L'Anse-Saint-Jean pour le couronnement. Ils veulent enquêter et interviewer le nouveau roi. Tous les journaux québécois sont présents, ainsi que des représentants des agences Reuter, France-Presse, Aloha Presse, CTVNews, etc. Radio-Canada est là, et la cérémonie sera retransmise intégralement par la chaîne parlementaire de la télévision canadienne le 1er juillet suivant, jour de la fête nationale du Canada, partout au pays. Dans les mois qui suivent, le roi donne plus de deux cents entrevues, notamment à Radio Tokyo, NTV de Russie, la BBC de Londres.

De nombreuses associations royalistes de par le monde

contactent Denys Ier et l'encouragent, lui proposant même des représentants pour les affaires étrangères du royaume et un ambassadeur royal, qui est nul autre que George Savarin de Marestan, descendant déclaré de Montcalm.

Sur le plan touristique aussi, cet événement a un impact considérable. Plus de 4000 personnes, soit trois fois la population du village ont assisté au couronnement. Une nouvelle auberge est en construction pour accueillir tous ces visiteurs qui s'annoncent, attirés par la renommée médiatique du couronnement. Ils veulent venir admirer les bijoux de la couronne, s'informer de l'événement. On leur propose des rencontres avec le roi, des films. Le Musée royal leur explique l'histoire royale et montre les artefacts qui lui sont liés. Les restaurateurs sont satisfaits, les gîtes aussi et tous font référence à la nouvelle royauté.

Un article du *Progrès-Dimanche*, parmi tant d'autres qui paraîtront régulièrement par la suite, le souligne encore le 11 juillet 1999. Il évoque la dynamique du conseil municipal, sous la houlette du nouveau maire de L'Anse-Saint-Jean, Rita Bergeron Gaudreault, qui a succédé à Laurent-Yves Simard:

«Elle entend donner encore plus de visibilité au roi Denys Ier et assurer une plus large mise en valeur de la première municipalité monarchique en Amérique du Nord. Au cours d'une entrevue regroupant la mairesse, le roi lui-mêmes,

le directeur de la Société de développement de L'Anse-Saint-Jean, Normand Dagenais, Noël Daigle et l'aubergiste Mario Dufour, tous s'accordent à dire que le temps est venu de "poser des gestes concrets en faveur de la monarchie". Nous savons, reconnaissent-ils, à la lumière des dernières années, que les touristes veulent voir et rencontrer le roi, ou, à tout le moins, apercevoir, ici et là, des signes et symboles liés à la monarchie, de même qu'entendre des partisans parler d'abondance de leur monarque et du royaume. Ils envisagent notamment de placer des drapeaux ou oriflammes aux couleurs du royaume qui flottent bien en vue.»

Denys Ier a-t-il ressuscité à L'Anse-Saint-Jean le mythe du paradis perdu? Peut-être, avoue-t-il: «Le paradis perdu est un mythe fondamental de l'Occident. Personne ne peut y échapper et il prend plusieurs visages. C'est au royaume de L'Anse-Saint-Jean qu'est né le fabuleux "royaume du Saguenay", dont Donnacona et ses deux fils déclaraient: "On y trouve de grandes quantités d'or, de rubis et d'autres richesses. Les hommes y ont la peau blanche comme en France et portent des vêtements de laine." (Le royaume des métis!) Bref, ce "royaume" est l'un des mythes fondateurs du Québec puisque cette description fabuleuse a convaincu François Ier de financer le deuxième voyage de Cartier.» (C, 18. 08. 08)

Le succès de l'idée de monarchie semble

1. *Le château de L'Anse, à la fois musée et résidence royale,*
dessiné par l'architecte Germain Laberge

donc démontré. Après tant de malheurs qui s'étaient abattus sur L'Anse-Saint-Jean, Denys Tremblay a redonné le sourire à cette population. Il a fait oublier le déluge, la faillite du mont Édouard, le défaitisme, la chute des ventes des maisons. Il a créé un état de grâce. L'Anse-Saint-Jean, après tout, n'est pas un si petit royaume qu'il y paraît. Il ne compte que 1306 habitants, mais s'étend sur 582 km², alors que la Principauté de Monaco ne compte que 1,5 km², le Lichtenstein 160 km² et l'Andorre 465 km². Pourquoi ne réussirait-il pas à s'imposer ?

Sur cette rive sud du fjord majestueux du Saguenay, un panneau routier annonce désormais aux voyageurs qu'ils entrent dans le royaume de L'Anse-Saint-Jean. Et ils se demandent s'ils auront la chance de pouvoir y rencontrer le roi Denys Ier qui y réside. En attendant la construction du château royal, celui-ci a d'abord élu domicile dans un beau chalet d'où la vue domine le fleuve, puis qu'il a opté pour une maison au bord de l'eau.

Beaucoup se demandent encore comment la naissance d'une telle monarchie a été possible aujourd'hui en Amérique du Nord, et comment un artiste a-t-il pu devenir roi. Mais, après tout, aux États-Unis, on a bien vu un acteur de cinéma devenir président et diriger le monde pendant huit ans.

L'enterrement
DE SA Majesté l'Histoire
DE L'art métropolitaine

L'épopée tremblaysienne a fait beaucoup parler dans les chaumières et dans les médias, bien au-delà de L'Anse-Saint-Jean: à Québec, à Montréal, à Ottawa, à Paris, à Moscou, à Tokyo, à Buenos Aires, à La Havane, à Barcelone. Mais le lecteur apprendra maintenant qu'avant de devenir roi de L'Anse, l'artiste Denys Tremblay avait tenu à s'assurer de la mort et de l'enterrement irréversible d'une autre majesté, qui l'avait de beaucoup précédé… et de mettre fin définitivement à son règne. Il ne s'en prenait pas ainsi à un roitelet de second ordre, mais à l'une des royautés les plus reconnues internationalement, les plus brillantes, les plus riches et les plus puissantes: nulle autre que Sa Majesté l'Histoire de l'art métropolitaine. En fait, l'occasion lui en avait été fournie dans des circonstances surprenantes, auxquelles j'ai moi-même été lié, et que je connais donc assez bien. L'histoire que je vais donc raconter ici se passe en 1979, à Paris, au célèbre centre Georges Pompidou.

Voici comment Denys Tremblay décrit ce qu'il appelle lui-même «une étrange affaire»:

«Nous savons peu de choses sur les circonstances de la mort de Sa Majesté l'Histoire de l'art métropolitaine. Les premières indications nous proviennent d'un livre intitulé *L'Histoire de l'art est terminée*, écrit par un dénommé Fischer, publié chez Balland en 1981. À la page 178, un texte de 318 mots en fait mention pour la première fois. L'auteur écrit:

"La salle s'emplit du tic-tac répétitif d'un réveil branché sur les micros. Hervé Fischer, muni d'un décamètre-ruban, mesure, avec une solennité affichée, la largeur de la salle face au publie.

"De gauche à droite, H. F. marche lentement face au public. Il est habillé en vert, et d'une chemise indienne blanche brodée de fleurs. Il se guide d'une main à la corde blanche suspendue à la hauteur de ses yeux. De l'autre main il tient un micro dans lequel il dit au long du chemin:

"*D'origine mythique est l'histoire de l'art. Magique. Ieux. Age. Anse. Isme. Isme. Isme. Isme. Isme. Neoisme, Isme. Isme. lque. Han. Ion. Hie. Pop. Hop. Kitsch. Asthme. Isme. Art. Hic. Tic. Tac. Tic.*

"Arrivé à un pas du milieu de la corde, il s'arrête et dit: *Simple artiste, dernier-né de cette chronologie asthmatique, ce jour de l'année 1979, je constate et je déclare que l'Histoire de l'art est terminée.*

"Il avance d'un pas, coupe la corde et dit: *L'instant où j'ai coupé ce cordon fut l'ultime événement de l'Histoire de l'art.*

"Laissant tomber à terre l'autre moitié de la corde, il ajoute: *Le prolongement linéaire de cette ligne*

1. *Performance d'Hervé Fischer au centre Georges Pompidou, à Paris, le 15 février 1979*

tombée n'était qu'une illusion paresseuse de la pensée.

"Il laisse aussi tomber la première partie de la corde: *Désormais libres de l'illusion géométrique, attentifs aux énergies du présent, nous entrons dans l'ère événementielle de l'art post-historique, le méta-art.*

"Deux banderoles sont dépliées dans la salle: art post-historique et méta-art."

«Ainsi, le 15 février 1979, dans la Petite salle du centre George Pompidou à Paris, lors de la soirée inaugurale des Journées d'art corporel et de performance organisée par le CAYC, le Centro de Arte y Comunicacion de Buenos Aires, que dirige Jorge Glusberg, le même Fischer avait coupé devant un public témoin une sorte de cordon ombilical théorique. Puis le silence le plus complet!» (LFM, 07).

J'espère qu'on excusera l'auteur de ce livre, qui n'est autre que ce Fischer dont parle Denys Tremblay, de donner quelques précisions au lecteur, qui doit y perdre son latin. J'avais tout simplement recouru à ce que les artistes appellent une «performance» pour déclarer la fin de l'Histoire de l'art. Et je tiens à insister: j'ai bien écrit Histoire avec une majuscule et art avec une minuscule. Car les malentendus furent nombreux. Je n'annonçais aucunement – une fois de plus, après tant d'autres depuis le

célèbre philosophe allemand Hegel – la fin de l'art, qui certes se porte de plus en plus mal en ce début de XXIᵉ siècle, mais qui saura peut-être trouver des remèdes à sa crise. Et je lui consacrerai d'ailleurs mon prochain livre. Non! Plus modestement, je dénonçais son idéologie morbide avant-gardiste et l'ambition hystérique des artistes des années 1970 d'écrire chaque jour une page de plus de son Histoire, chacun évidemment sous son illustre signature individuelle. C'est l'enflure historique de l'idéologie artistique que ce Fischer a dénoncée.

Denys Tremblay, qui écrivait justement une thèse sur l'art à l'université de Paris, fut semble-t-il intrigué. Et il décida, sans même m'en informer, ni s'enquérir auprès de moi de renseignements qui auraient pu lui être utiles, de faire enquête au centre George Pompidou.

Vous êtes priés d'assister à la translation des cendres et à l'inhumation définitive de la dépouille mortelle de sa majesté.

L'HISTOIRE DE L'ART METROPOLITAINE

née Volontariste

décédée le 15 février 1979

au Centre Georges Pompidou à un âge trop respectable.

La cérémonie officielle aura lieu le JEUDI 14 AVRIL 1983, à 18 heures p.m., en un lieu anonyme dit « LA GALERIE DIAGONALE », au 10 boulevard Edgar-Quinet - 75014 Paris.

(Métro Raspail)

Il était important, messieurs et mesdames, qu'à la majesté du souvenir des vœux exprimés par la précieuse décédée elle-même, la sépulture auguste soit placée dans un lieu silencieux et oublié, afin que puissent la visiter avec recueillement tous ceux qui en respectent la gloire, le génie, la légende, et l'infortune.

Jaloux d'accomplir ce devoir supra-national, nous ne doutons pas que vous vous associerez avec une émotion tragique à la pensée exprimée par l'Illustre Inconnu, le très Sous-Officier **Denys TREMBLAY**, qui aura l'insigne honneur d'agir à titre de maître de cérémonie au nom de l'Internationale Périphérique.

Seront présents à titre plénipotentiaire :

le Très Honorable Ministre de la Culture Déviante, Pierre RESTANY

Son Excellence Mythanalyste Hervé FISCHER

AINSI QUE TOUTE LA FAMILLE ARTISTIQUE ET LES NOMBREUX AMIS.

P.S. Le triste devoir commande évidemment une attitude digne et un habit de circonstances. Nous vous encourageons vivement à vous munir d'un appareil photographique avec flash. La crypte funéraire sera exceptionnellement ouverte au public du 15 au 28 avril inclusivement, de 15 à 18 hres p.m.

La chance était au rendez-vous, puisqu'il eut l'idée de se présenter, en uniforme de l'Illustre Inconnu, au service des objets trouvés, et, ayant consulté le livre des inscriptions, d'y découvrir un rapport de Mme Nicole Savary, qui mentionne «qu'une caisse métallique dans laquelle se trouve un ou des cercueils contenant les restes mortels de l'Histoire de l'art métropolitaine» a été trouvée le 16 février 1979 par les agents de sécurité dans la Petite salle du centre Pompidou à 18 h. Non sans surprise, il remarque que la caisse métallique porte le numéro 666, le chiffre biblique de la bête. Les restes de l'Histoire de l'art étaient donc demeurés là sans autre attention de personne. Et il en conclut qu'«il y avait donc eu mort réelle ce soir-là!» (LFM, 07).

Plus intrigué que jamais, et saisi d'une grande inquiétude, Denys Tremblay décida donc de prendre les choses en mains et de s'assurer de la suite historique de cet événement, qui eut un fort retentissement dans son esprit. Il note d'ailleurs dans un document que j'ai retrouvé dans ses archives, avec cette habitude ancienne de parler de lui à la troisième personne, à moins que ce ne soit un rapport d'enquête qu'il a conservé, tant les faits sont notés avec un esprit méticuleux et une sorte de détachement psycholo-

gique (qui furent toujours aussi les siens):

«Il faudra cinquante mois pour qu'un Illustre Inconnu, Denys Tremblay, agissant au nom d'une obscure association sans but lucratif, l'Internationale Périphérique, intervienne. Le 14 mars 1983, le Tout-Paris artistique reçoit une lettre d'intention dans laquelle il est expressément écrit que "la translation des cendres et la construction d'une crypte funéraire devenaient enfin possible".

«Le 1er avril 1983, un Vendredi saint, l'Internationale Périphérique fait parvenir à tous un carton d'invitation bordé de noir. Elle convie tout le monde aux cérémonies officielles de Translation des cendres et d'inhumation définitive de la dépouille mortelle de Sa Majesté L'Histoire de l'art métropolitaine à la galerie Diagonale le 14 avril suivant.

«Sur l'Internationale Périphérique, on ne sait, en fait, que peu de choses. Nous connaissons son sigle et sa devise: "Je me régionalise, je me féminise", ce qui en dit fort peu et fort long sur ses intentions véritables. Manifestement, cette association en sait beaucoup plus que nous sur elle-même et sur les circonstances de la mort de l'Illustre Défunte.» (LFM, 07)

Et Denys Tremblay, ou celui qui se présentait lui-même comme l'Illustre Inconnu, décida, sans autre forme de procès et sans même me consulter, de l'enterrer définitivement. Il élabora donc un protocole minutieux pour cette céré-

1. Le carton d'invitation du 1er avril 1983

monie exceptionnelle. En voici les étapes telles qu'il en a fait lui-même le compte rendu :

« La réception des précieux restes.

Honneurs féminins non militaires et levée des scellés des cercueils successifs.

La description du cadavre poncif.

L'identification formelle et certification de décès.

Le dernier discours de sa majesté historique.

Salve de déshonneur et prise de reliques.

Inhumation définitive. »

Il précise que « la réception des précieux restes est assurée par une délégation plénipotentiaire », que « l'identification formelle est assurée par les témoins oculaires », et que le « dépôt du corps est fait dans des cercueils successifs ». (T, 168 et LFM, 15)

Les restes sont alors transportés selon le rituel habituel, en fourgonnette funéraire, depuis le centre George Pompidou jusqu'au lieu de l'enterrement, la galerie d'art d'Elgidio Alvaro, située dans le XVIe arrondissement. L'itinéraire a été soigneusement choisi pour permettre que la fourgonnette noire passe symboliquement le long du musée du Louvre, sur les bords de la Seine.

Sur le stationnement du boulevard Edgar Quinet, devant la Galerie Diagonale, treize majorettes et cinq tambours de Saint-Louis de Poissy accueillirent le cortège funèbre et rendirent par deux fois à la défunte les « honneurs féminins non militaires ». Pour officialiser davantage l'événement, Denys Tremblay s'est assuré de la présence de deux personnalités témoins à titre plénipotentiaire : le critique Pierre Restany, promu « ministre sans portefeuille de la Culture Déviante », ainsi que le dénommé Fischer – votre serviteur, ainsi mis au courant des gestes de Tremblay – et qu'il décida de nommer après quelques lectures plus approfondies « Son Excellence Mythanalyste ».

Le rituel de l'enterrement est des plus étonnant. Je le décrirai donc dans les termes les plus fidèles, en me référant directement aux archives tremblaysiennes (LFM), qui sont plus précises que ma propre mémoire. Je les résume cependant, par respect pour les lecteurs trop sensibles aux manières des pompes funèbres et aux techniques légales.

Par précaution sanitaire, dans l'éventualité de miasmes historiques, Denys Tremblay se

---

1. *L'Illustre Inconnu dirige le landau funéraire périphérique*

2. *Honneurs féminins et non militaires rendus par les majorettes de Saint-Louis-de-Poissy*

3. *L'assurance très sous-officielle de l'Illustre Inconnu*

4. *Transport de l'auguste défunte vers la galerie Diagonale métamorphosée en Invalables*

5. *Dernier salut à sa majesté historique métropolitaine avant son inhumation définitive*

6. *Pierre Restany, Hervé Fischer et l'Illustre Inconnu constatent la lourdeur du cadavre historique*

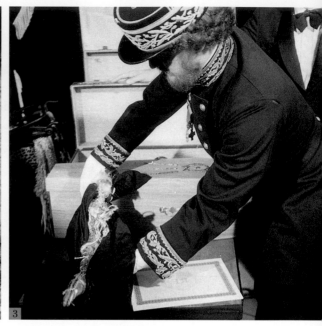

couvre le visage d'un masque opératoire et vaporise un produit désinfectant lors de l'ouverture de chaque cercueil jusqu'à ce qu'il parvienne au cercueil de bois. Il dégage alors successivement les cordelettes, les étoffes, les liens, puis le suaire, pour parvenir jusqu'au «cadavre poncif», qui semble bien conservé. Il est raidi et ressemble... à un fœtus momifié de lapin.

Denys Tremblay se livre à de méticuleuses descriptions de la tête, des paupières, des membres, et relève diverses altérations avec une attention qui paraît scientifique. Il a pris modèle, on ne saurait en être surpris, sur la description du cadavre de Napoléon faite par le médecin légiste lors de l'ouverture du tombeau de l'empereur sur l'île de Sainte-Hélène. En voici un extrait:

«Les paupières complètement ouvertes adhéraient aux parties supérieures et se présentaient dures et sèches sous la pression du doigt. Quelques cils se voyaient encore à leur bord libre. Les os du

1. *Le mythanalyste Hervé Fischer et le ministre de la culture déviante Pierre Restany portant masques opératoires*
2. *Le cadavre poncif de sa majesté historique métropolitaine*
3. *Présentation du cadavre historique à la foule présente*

nez et les téguments qui les couvraient étaient bien conservés, le tube et les ailes seuls avaient souffert. Les joues étaient décharnées et les téguments de cette partie de la figure se faisaient remarquer par leur toucher rude et leur couleur dorée. Par contre, ceux du menton étaient plutôt blanchâtres. Ils empruntaient cette teinte à la moustache blanche comme neige qui semblait avoir poussé après la mort. Quant au menton lui-même, il n'offrait point d'altération, et conservait encore ce type propre à la figure de l'illustre décédée. Les lèvres très minces étaient légèrement écartées. Quatre incisives extrêmement brillantes et dorées se voyaient sous la lèvre supérieure, qui se présentait un peu surélevée à gauche. Les incisives n'avaient pas perdu leur coupant et témoignaient de la rudesse des morsures qu'avait pu faire Sa Majesté à son époque glorieuse.»

C'est peu dire que ce morceau de bravoure littéraire témoigne de respect, mais aussi d'un secret esprit de revanche de l'artiste périphérique de Chicoutimi à la vue du cadavre de son ennemie métropolitaine de toujours. Mais on doit lui reconnaître une certaine objectivité, car ce n'est pas avec moins de soin qu'il note à quel point le cadavre semble étonnamment bien conservé. Il demande aux invités plénipotentiaires de revêtir, à leur tour, des masques sanitaires, et de s'approcher pour observer eux-mêmes l'état du cadavre et constater de visu la mort

bien réelle de l'Histoire de l'art, afin de signer l'attestation de décès. On notera que Denys Tremblay avait réussi étonnamment à obtenir des services administratifs de la ville de Paris un certificat vierge, qu'il avait donc préparé au nom de feu sa Majesté.

Les soixante-deux autres personnes présentes sont invitées à signer à leur tour le précieux constat.

Puis Denys Tremblay, dont les talents d'enquêteur en surprennent à nouveau plus d'un, fait entendre le dernier discours que Sa Majesté l'Histoire de l'art métropolitaine avait prononcé? avant sa mort. Il avait manifestement réussi à se procurer un enregistrement audio parfaitement audible. Et pour être sûr que tous comprennent, il a eu recours à un mime qui traduisit le discours en langage gestuel pour les sourds. Chacun de nous fut étonné d'y retrouver tous les principes de l'art métropolitain que dénonçait Denys Tremblay, énoncés sur un ton autoritaire et même revendicatif. J'en ai retenu quelques passages, les plus significatifs, qui expliquent le soin que prit Denys Tremblay à s'assurer de la mort définitive de Sa Majesté:

«Collectionneurs! Critiques! Historiens! Artistes! Amis des Arts! C'est votre Histoire de l'art qui vous parle... L'Ennemi est partout... N'écoutez pas ces objecteurs de conscience systématiques, ces anarchistes de l'inavouable qui s'attachent à détruire les fondements les

VÉRIFICATION DES DÉCES

Nous, *Denys Tremblay,* en qualité de Très Sous-Officier, déléguons

Messieurs (Mesdames) *Pierre Restany et Hervé Fischer*

, à titre plénipotentiaire, à l'effet de se

faire montrer le corps non vêtu de M (Mme) *Histoire de l'Art Métropolitaine,*

né (e) *Volontariste* de constater le décès et d'en indiquer les causes.

Fait à *Paris le 14 Avril 1983*

Denys Tremblay

SIGNATURE DU TRÈS SOUS-OFFICIER

Pour des motifs d'hygiène

- ☒ la mise en bière immédiate a été nécessaire.
- ☒ la protection de la santé publique exige la vérification de la maladie causé du décès.
- ☒ Un cercueil hermétique est nécessaire.
- ☒ l'exhumation ne doit pas être pratiquée avant 1 an.

Initiales du Sous-Officier *DT*

En vertu des dispositions du décret n° 78-435 de la Basse Autorité de l'Internationale Périphérique

- La fermeture du cercueil est autorisée par le Sous-Officier du lieu du décès (art. 10-1). Ce dernier peut s'il y a urgence, notamment en cas de décès survenu à la suite d'une maladie contagieuse ou épidémique ou en cas de décomposition rapide, prescrire sur l'avis de personnalités compris par lui la mise en bière immédiate après la constatation officielle du décès (art. 10-2).
- Si le décès paraît résulter d'une maladie suspecte dont la protection de la santé publique exige la vérification, le Sous-Officier peut sur l'avis conforme de deux personnalités, prescrire toutes les constatations nécessaires et même l'autopsie (art. 10-3).
- Un cercueil hermétique d'un modèle agréé est exigé en cas de variole, peste, choléra, charbon, infections typhoparatyphoïdiques, dysenteries, gangrène, septicémies seul in humation immédiate dans un caveau définitif (art. 17-1 et art. 19).
- Si la mort est causée par l'une de ces affections, l'exhumation ne pourra être autorisée avant une année. Toutefois cette prescription n'est pas applicable en cas de dépôt temporaire dans un édifice culturel, dans un dépositoire ou dans un caveau provisoire (art. 24-1).

IDENTIFICATION

LE *15 février 1939* A *16* Heures

EST DÉCÉDÉ(E) *à Paris* (VILLE)

RUE *St-Martin* N° *120*

NOM DE L'ÉTABLISSEMENT *Centre Pompidou*

NOM DU DÉCÉDÉ(E) *Histoire de l'art métropolitaine, né Volontariste*

NATIONALITÉ *supra-nationalité*

LIEU DE L'INHUMATION *la Galerie Diagonale*

ADRESSE *10 bis Edgar Quinet Paris 14e*

DATE DE L'INHUMATION *14 avril 1983*

DÉCÈS DÉCLARÉ LE *15/02/89* A *16* Heures

Par *Hervé Fischer*

CERTIFICATION DU DÉCÈS

NOUS, DÉLÉGUÉ(E)S A TITRE PLÉNIPOTENTIAIRES, CERTIFIONS QUE LA MORT DE LA PERSONNE FAISANT L'OBJET DU PRÉSENT DOCUMENT, SURVENUE LE JOUR ET A L'HEURE CI-AVANT PRÉCISES EST RÉELLE ET CONSTANTE, ET QUE CE DÉCÈS NE POSE PAS DE PROBLÈME MÉDICO-LÉGAL,

SOUSSIGNÉS,

RESTANY

LE TRÈS HONORABLE
MINISTRE DE LA CULTURE DÉVIANTE

H. Fischer

SON EXCELLENCE MYTHANALISTE

DATÉ *Paris le 14 avril 1983*

RENSEIGNEMENTS

I. — Cause du décès
a) Cause immédiate de la mort (Nature de l'évolution terminale, de la complication éventuelle de la maladie, ou nature de la lésion fatale en cas d'accident, ou d'autre mort violente (1).

Coupure du cordon ombilical par un artiste

qui est consécutive à
b) Cause initiale (Nature de la maladie causale, ou de l'accident, du suicide, ou de l'homicide.

Suicide par anorexie

II. — Renseignements complémentaires
État morbide (ou physiologique grossesse par exemple) ayant contribué à l'évolution fatale (mais non classable en I comme cause proprement dite du décès) (2).

État parano-mélancolique

Une autopsie a-t-elle été pratiquée ? OUI — NON — (3)
(1) Mentionner ici le cas échéant le décès post-opératoire.
(2) Mentionner ici le cas échéant l'état mental pathologique qui a pu être à l'origine du suicide.
(3) Rayer la mention inutile.

EXEMPLES

Décès par maladie	Décès par accident	Décès par suicide	Décès par homicide
I.a) Broncho pneumonie	I.a) Fracture du crâne	I.a) Plaie du Cœur par balle	I.a) Section de l'artère fémorale
b) Rougeole	b) Chute dans un escalier	b) Suicide par arme à feu	b) homicide par coup de couteau
II. Rachitisme	II. Éthylisme chronique	II. État mélancolique	

1

INTERNATIONALE PÉRIPHÉRIQUE
RF
N° 11103

VERIFICATION DES DECES

Nous, Denys Tremblay, en qualité de Très Sous-Officier, déléguons Messieurs (Mesdames) Pierre Restany et Henri Fischer à titre plénipotentiaire, à l'effet de se faire montrer le corps non vêtu de M. (Mme) Histoire de l'Art Métropolitaine, né (e) Volontariste de constater le décès et d'en indiquer les causes.

Fait à Paris le 14 Avril 1983

Denys Tremblay

2

1. Détail du certificat de décès révélant les circonstances de la mort de l'Histoire de l'art métropolitaine

2. Le certificat de décès

plus sacrés de notre société occidentale… Il est temps de réaffirmer notre foi inébranlable dans la métropole!»

Puis, elle dénonçait vertement les arts multidisciplinaires, «ceux qui impliquent la participation des publics, "le populisme", la dématérialisation de l'art, les anti-formalismes, "tout cet art de rebut que l'on dit engagé"». Bien entendu, elle faisait l'éloge du marché de l'art et des institutions, biennales, salons, jurys, prix, etc., en ajoutant:

«Si par malheur nos mesures néo-colonialistes ne réussissaient pas à contrôler l'émergence des régionalismes culturels, si par malheur nous ne pouvions pas abolir ou diminuer les pratiques collectivistes, régionalistes ou même féministes en art… je préférerais me donner la mort… L'Art n'a pas le droit de disposer de son Histoire à sa guise.»

Cet ultime discours ayant permis de prendre conscience plus que jamais des attitudes réactionnaires, rigides et mercantiles de l'Histoire de l'art métropolitaine, et de balayer tout regret envers la défunte, Denys Tremblay procède immédiatement «à la salve de déshonneur au nom de toutes les nations civilisées». Et, à la surprise de tous, déjà sous le choc, il «tire cinq balles à bout portant sur le cadavre avec un revolver n° 92 immatriculé H 63595, afin de démontrer hors de tout doute possible aux générations futures que la mort de Sa Majesté historique ne pouvait qu'être effective et définitive». Puis il procède à la prise de reliques (je reprends ici quelques indications de ses archives, telles qu'il les a lui-même rédigées): «Alors j'ai procédé à la prise des reliques par voie de mutilation sur le corps de Sa Majesté historique. J'ai retiré la grande partie des cheveux, de la moustache, ainsi que la queue de Son Excellence au début du coccyx.» Je me souviens que ce détail scabreux en fit sourire plus d'un avec un air entendu au cours de la cérémonie. On devinait le plaisir vengeur de l'artiste. Mais on ne devrait pas s'étonner du prélèvement de la queue. Il ne s'agit certes pas d'une castration,

étant donné son attachement au coccyx, mais on doit plutôt conclure, et cette découverte est de la plus haute importance, que Son Excellence l'Histoire de l'art métropolitaine était en fait un animal déguisé en majesté, qui s'était sans doute inspiré des contes et légendes pour enfants, et notamment de *La Belle et la Bête*. À moins qu'elle n'ait été métamorphosée en lièvre par la canne dont se servait l'artiste allemand Joseph Beuys dans ses dialogues new-yorkais avec le coyote de la galerie d'art. Nul doute d'ailleurs que Sa Majesté ait posé plus d'un lapin à des artistes ambitieux. La question demeurera ouverte et importe peu finalement, puisqu'il y avait bien eu mort et enterrement.

Ces précieux prélèvements une fois recueillis «dans deux bourses reliquaires» (qui ont été numérotées et déposées, comme tous les accessoires de la cérémonie, au Service de la Preuve Ultime des Archives Régionales de l'artiste), le maître de cérémonie,

1. *Annonce solennelle de la salve de déshonneur*
2. *Le T-shirt protocolaire libertaire*
3. *Le cercueil gigogne contenant la malle du grand voyage, la malle du petit voyage et la casanière de bois massif*
4. *Premier des cinq tirs à bout portant de la salve de déshonneur*

alias Denys Tremblay en personne en habit d'Illustre Inconnu, entreprend de soigneusement refermer le cercueil de bois et de remettre celui-ci dans la série de cercueils gigognes d'origine. Lorsqu'il a enfin scellé la boîte métallique extérieure, celle aux quatre pommeaux d'or, il la transporte jusqu'à la crypte comme un bébé dans le landau protocolaire.

La fin de la cérémonie se déroule dans un style classique. D'abord, Denys Tremblay déploie «un à un les drapeaux des nations culturellement hégémoniques», soit «les États-Unis d'Amérique, la France, l'Allemagne fédérale, l'Italie» sur des mâts frappés de l'écusson de l'Internationale Périphérique. Puis il place le cercueil dans le «trou définitif» du caveau, sur lequel il dispose une plaque de marbre commémorative, où l'on peut lire l'inscription suivante: «Ici gisent les restes décadents et avant-gardistes de l'Histoire de l'art métropolitaine.» Et il demande enfin aux deux invités plénipotentiaires de dévoiler une autre plaque murale qui se lit ainsi, rappelant les dernières volontés de la défunte: «Je désire que mes cendres reposent dans une galerie anonyme parmi les artistes inconnus que j'ai tant haïs.» Ce texte est bien entendu une parodie de celui du testament de Napoléon, tel qu'on peut le lire aux Invalides: «Je désire que mes cendres reposent près de la Seine parmi le peuple français que j'ai tant aimé.»

Au terme de l'inhumation, c'est d'abord Pierre Restany qui est invité à prononcer un bref discours de circonstance. Il évoque l'avenir:

«Aujourd'hui, sous l'effet d'une poussée marginale et périphérique, l'histoire de l'art va peut-être renaître sous une forme beaucoup plus humaine, c'est-à-dire sous sa forme femelle, féministe, décentralisatrice, flexible, ouverte… Finalement, vous voyez donc que cette mort peut se teinter d'un grand sourire d'espoir. Alors, d'un côté l'art qui s'est libéré de son histoire et de l'autre l'histoire qui s'est libérée de son art… On repart à zéro!»

Puis c'est au tour du dénommé Fischer de prendre la parole:

«Les traces de cette performance que j'ai réalisée le 15 février 1979 au centre Georges Pompidou se sont effacées presque aussitôt. L'enregistrement vidéo avait déjà disparu lorsque quelques jours après je m'en enquis. Tout le monde faisait comme si l'Histoire de l'art était toujours bien vivante et, en effet, le cadavre paraissait invisible. J'ai seulement rapporté chez moi la corde coupée, la lampe rouge et le couteau, et je ne fus pas inquiété par la police.

«Je n'ai jamais pu retrouver la bande vidéo.

«C'est en découvrant par hasard le livre qui a été publié à Paris deux ans après la fin de l'Histoire de l'art que Denys Tremblay découvrit le crime et entreprit l'enquête que l'on sait, au service des objets trouvés du centre Georges Pompidou. Il a souhaité inhumer dignement

ICI

GISENT

LES

RESTES DECADENTS

ET

AVANT-GARDISTES

DE

L'HISTOIRE DE L'ART

METROPOLITAINE

14 AVRIL 1983

celle dont j'avais tranché l'illusion.

«Le geste de Denys Tremblay est logique. L'enterrement fut très digne, le rituel et la scénographie parfaitement adaptés. J'en témoigne. Je n'étais pas fâché de pouvoir juger ainsi de visu que mon geste n'avait pas été vain. J'en suis reconnaissant à Denys Tremblay. Et je crois qu'en effet, maintenant que quatre années se sont écoulées, ils sont de plus en plus nombreux ceux qui admettent que mon geste était juste et nécessaire.

«Je n'ai pas de regret. Libérés de cet arbitraire, nous pouvons d'autant mieux célébrer la vie.

«La vie: parmi les illusions, elle est la seule qui vaille souvent la peine qu'elle nous donne.

«Ainsi sont nos "limythes."

«J'espère que Denys Tremblay a bien scellé le tombeau. J'ai horreur des résurrections.»

1. *Écoute attentive du chant des adieux de la chorale fédérale du scoutisme français*

2. *Couvercle imitation marbre, recouvert de lettres plastiques imitation bronze*

3. *Le cercueil gigogne déposé dans le caveau central des Invalables*

Sans doute Denys Tremblay est-il sûr de lui, lorsqu'il note, dans un brochure de couleur violette intitulée *La fin de la mort* que «le cérémonial protocolaire, empreint d'apparat et de dignité, a multiplié les preuves tangibles que cette histoire-là est non seulement morte conceptuellement, mais enterrée définitivement dans la réalité». À tout le moins, souhaitons-le, car l'art, la religion, la magie et le commerce ont partie liée, de sorte que nous ne pouvons jamais être sûrs que l'Histoire de l'art métropolitaine ne renaisse pas de ses cendres.

Par rapport à la performance de Fischer, qui avait symboliquement dénoncé l'hégémonie de l'Histoire de l'art comme idéologie avant-gardiste exacerbée et finalement morbide, Tremblay a donc ajouté sa vision périphérique: il qualifie l'Histoire de l'art de «métropolitaine». Il s'en prend à son hégémonie centralisatrice et à sa prétention universaliste, celle des grandes galeries de New York, Paris, Düsseldorf et des grandes institutions internationales qui font la loi dans les colonies de l'art. Ce qu'il demande, c'est «la mort d'un concept morbide et suicidaire» (T, 167). Il n'en demeure pas moins que ni Fischer ni Tremblay n'a déclaré «la mort de l'art». Tous deux ont plutôt revendiqué le respect de l'art et de la vie, dans une démarche libératrice.

Denys Tremblay a conçu une cérémonie solennelle et respectueuse de l'histoire de cette puissante altesse, qui a eu parfois les qualités de ses défauts, puisque, dans son protocole, il s'est inspiré des funérailles publiques de Pierre Mendès France en 1983 et du cérémonial de translation des cendres de Napoléon Ier à Paris aux Invalides en 1840. La publication de *La fin de la mort* porte en couverture le fac-similé du tampon de l'Internationale Périphérique avec les lettres majuscules RF, correspondant à la devise écrite en bas de la vignette en toutes lettres: «Je me Régionalise – je me Féminise.» Ces deux lettres évoquent aussi, se plaît à signaler Tremblay, la présence à l'enterrement de R et F, pour Restany et Fischer. Bien entendu ces deux majuscules ne manquent pas de faire écho à celles de la République Française. Mais cet événement a aussi une dimension plus intime et existentielle. La quatrième de couverture de la publication note explicitement, dans un rectangle en forme de stèle funéraire: «À mon ami Michel-Joseph Fortin, mort volontairement le 18 février 1983.» Il fait ainsi référence au suicide de son meilleur ami, qui s'est jeté devant le métro, station Place-des-Arts, le 18 février 1983, trois jours, précisément, note-t-il avec étonnement, avant qu'Hervé Fischer ne déclare la fin de l'Histoire de l'art. Michel-Joseph Fortin s'était présenté comme candidat «Joker» aux élections du cégep de Chicoutimi. Sa clownerie électorale de jeunesse lui avait coûté cher par la suite, puisqu'il avait été arrêté et maltraité dans le cadre de la Loi des mesures de guerre instituées par Trudeau en

octobre 1970. (Les policiers lui confisquèrent alors un livre intitulé *Cubisme* comme preuve de sa sympathie pour la révolution cubaine.) Il en était définitivement resté humilié et traumatisé. Sur le moment, Denys Tremblay ne fut pas informé de son suicide. Et c'est plusieurs mois plus tard, revenu au Québec, qu'il découvrit qu'il avait obtenu un certificat vierge de décès à Paris le jour même de ce suicide. C'est ce certificat qu'il avait mis au nom de Sa Majesté l'Histoire de l'art métropolitaine (T, 68). Il demeura profondément troublé par cette coïncidence du calendrier, qui interférait si directement dans sa propre vie. Et il se promit de dénoncer en toutes occasions les mesures de guerre, comme on pourra en juger par la suite.

Mais pourquoi une telle rage de dénonciation du pouvoir métropolitain, marchand et institutionnel, de l'art d'aujourd'hui? Il faut, pour le comprendre, considérer la situation géoculturelle du Québec et de Chicoutimi, comme de bien d'autres régions du monde, où l'art est orphelin du marché international, ce qui suscite selon les cas un sentiment d'impuissance ou un fort ressentiment. Denys Tremblay parle de sa situation personnelle, qu'il juge représentative, en décidant de s'opposer «à un monde fait pour les puissants, les riches et les vedettes; un monde

1. *La crypte funéraire telle que présentée à la galerie Diagonale*

condamnant l'artiste que nous étions alors à une résistance héroïque et inutile aux forces homogénéisantes que nous assimilions à la notion de pouvoir. Pourtant, nous étions secrètement convaincus que nous pouvions faire mieux et plus vite que dans ces terres étrangères et métropolitaines, parce que nous avions la chance de vivre dans une communauté inter-relationnelle.» (LDB, 110)

C'est de cette conscience rebelle qu'il tient l'incroyable énergie qu'il a déployée pour organiser cet enterrement parisien, ou par la suite pour s'engager à L'Anse-Saint-Jean. Il a développé une position théorique sur les forces sociales qui lient l'art, l'économie et la politique. L'artiste doit localiser son projet dans un contexte sociotemporel précis, susceptible lui-même d'évoluer et de contraindre l'artiste à modifier son œuvre.

C'est en ce sens qu'il a opposé l'art historique (métropolitain) à l'art post-historique (périphérique et local). Ainsi est née l'idée, non seulement au Québec, mais aussi en Europe, que l'avant-gardisme consisterait peut-être désormais à être régionaliste, avec cette différence que, pour Denys Tremblay, la notion d'avant-garde est à proscrire dans la mesure où elle implique encore une conception historique de l'art. Dans une histoire «périphérique», les valeurs ne sont plus celles d'une éventuelle avant ou arrière-garde, mais celles de l'authenticité et de l'échange.

Le régionalisme compte beaucoup de théoriciens et de militants de par le monde depuis les années 1970. Au Québec même, il s'agit d'une question politiquement très sensible depuis encore plus longtemps. Le sociologue Marcel Rioux et l'historien d'art Yves Robillard s'en sont faits les penseurs du point de vue artistique. La montée en puissance des grands ensembles politiques, les débuts de ce qui deviendra l'idéologie de la mondialisation ont renforcé encore cette résistance aux métropoles à mesure de leur arrogance grandissante.

Face à l'idéologie actuelle de la mondialisation, Denys Tremblay a été un militant avant l'heure de la diversité culturelle dont le Québec s'est fait depuis le champion et qu'il a réussi, avec notamment le Canada et la France, à faire reconnaître par de nombreux pays. C'est en novembre 2001 que l'UNESCO a adopté la déclaration «reconnaissant, pour la première fois, la diversité culturelle comme "héritage commun de l'humanité" et considérant sa sauvegarde comme étant un impératif concret et éthique inséparable du respect de la dignité humaine.»

Et c'est en 1983, à Paris, dans la gueule du monstre, dans la métropole historique de l'art universel, que l'artiste Denys Tremblay a livré son message, on ne peut plus clair. En incarnant, en 1997, à l'autre pôle du monde artistique, sur le territoire périphérique de L'Anse-Saint-Jean, une monarchie municipale, il a démontré la

persévérance de ses convictions. Et il avait toute la légitimité requise pour s'adresser, le 12 novembre 1998, à la représentante de l'UNESCO à Québec, Mme Ndèye Fall, et lui proposer d'appuyer l'organisation d'un maxi-sommet des micro-états dans notre royaume de L'Anse-Saint-Jean pendant l'été 2001:

«Vous n'êtes pas sans savoir qu'il se développe dans le monde de nouvelles entités communautaires qui sont l'expression postmoderne de nouveaux points de vue étatiques. (...) L'Anse-Saint-Jean se veut un royaume légitime à l'échelle municipale, permettant à ses concitoyens de vivre intensément et légitimement dans un pays local sans volonté ferme de reconnaissance légale par les autres gouvernements. (...) Nous aimerions échanger sur la perception de votre organisation internationale sur le concept même de micro-états ou micro-nations.»

Sa demande est arrivée trop tôt! Elle est restée sans réponse.

L'Illustre Inconnu tenant fièrement le certificat de décès de sa majesté historique

L'épopée
DE L'Illustre Inconnu

Remontant toujours le temps, nous découvrirons que celui qui s'est fait élire et couronner roi à L'Anse-Saint-Jean, celui qui a enterré solennellement Sa Majesté l'Histoire de l'art métropolitaine à Paris, n'était qu'un «Illustre Inconnu». Certes, comme le souligne avec réalisme son pair chicoutimien Jean-Pierre Vidal, «Illustre Inconnu, tout artiste est contraint de l'être». (LDB, 197) Mais les pistes se brouillent, bien que l'histoire atteste clairement plusieurs faits incontestablement réels. Ainsi, c'est en s'écriant: «L'Illustre Inconnu est mort. Vive Denys Ier de l'Anse!» que le conseil municipal de ce village a conclu la proclamation des résultats du référendum du 21 janvier 1997. Il semble difficile de douter de son existence; mais que sait-on exactement?

Certes, le bureau des archives de l'artiste Denys Tremblay abonde en documents que nous avons soigneusement étudiés, et qui semblent le désigner lui-même comme l'alter ego de cette illustre personnalité publique, que nous voyons se manifester à maintes reprises dans des événements qualifiés de «très sous-officiels». Mais toutes ces archives pourraient être imaginaires, une création littéraire de l'artiste. Nous

1. L'Illustre Inconnu en habit du grand protocole

avons donc vérifié dans les journaux de l'époque la concordance des événements, et nous avons découvert en effet de nombreux témoignages de journalistes, assurément crédibles, qui attestent de la véracité des faits. Ainsi, le *Progrès-Dimanche* du 26 mai 1985 publie l'article suivant:

«Chicoutimi. Quand l'Illustre Inconnu est la vedette d'un film, l'événement ne risque pas de passer inaperçu. Ainsi, jeudi après-midi, il est venu, conduit par une limousine avec chauffeur, sur l'ancien pont Sainte-Anne, où on avait déployé le tapis rouge, afin d'accorder des décorations à des artistes de la région ayant fait un travail remarquable. Tout ceci, sous l'œil de la caméra de Radio-Québec.(...) C'est donc le Très Sous-officier Denys Tremblay qui a procédé à la remise de ces médailles.(...) Une cérémonie haute en couleur par laquelle l'Illustre Inconnu, en tant que chef d'État d'esprit périphérique, a saisi l'occasion de soutenir le dynamisme culturel de sa région natale.»

Plus que jamais, la question s'impose: qui est donc cet Illustre Inconnu qui décline tant de sous-titres et qui paradoxalement distribue publiquement des honneurs à ses contemporains? J'ai eu la chance de découvrir et de pouvoir parcourir *Feuilleton sous-officiel* de l'Illustre Inconnu, qui a été conservé au Bureau de la Preuve Ultime. Et on y apprend par exemple que lors de ses visites très protocolaires, l'Illustre

Inconnu, en tant que suprême chef d'État d'esprit périphérique et Très Sous-officier, tenait à se parer lui-même de ses «sept (7) médailles obtenues personnellement et de dure lutte:

«- La Région d'Honneur de l'Internationale Périphérique.
 - La Croix de Pacification artistique.
 - La médaille double-triangulaire des Pratiques féministes en art.
 - La médaille double-triangulaire des Pratiques sociologiques en art.
 - La médaille de la victoire du Proche sur le Lointain, dite médaille de l'insertion artistique.
 - La médaille distinctive de la Région Étrangère.
 - La médaille de la victoire de l'horizontale sur la verticale, dite médaille anti-spécifique.» (LFM, 16)

Nous avons eu accès aussi à des détails plus personnels et vérifiables. Car dans une note que nous avons découverte dans ses archives, l'artiste Denys Tremblay mentionne que «l'habit de grand protocole de l'Illustre Inconnu fut porté par son père, le maire Charles-Ernest Tremblay, lorsqu'il personnifia le premier capitaine de bateau pendant le Carnaval Souvenir de 1966.» L'Illustre Inconnu aurait voulu «exprimer ainsi son appartenance familiale et locale». Et nous avons retrouvé mention de ce Carnaval et du rôle qu'y jouait effectivement son père dans

Le Quotidien-Dimanche du 13 février 1968. Après toutes ces recherches, voici donc les dates et les étapes de la carrière de l'Illustre Inconnu, telles que nous avons cru pouvoir les établir:

Les archives du Bureau de la Preuve Ultime mentionnent que «le début de la vie» a commencé pour lui avec l'enterrement de l'Histoire de l'art métropolitaine, qui a été le premier geste de l'Illustre Inconnu. Il en parle comme d'une «épiphanie», en précisant son identité, manifestement aussi mystérieuse que très «sous-officielle», et que nous croyons devoir soumettre à la perspicacité du lecteur:

«C'est justement sous la forme extasiée de la mort (la Fin de la fin) que naît fatalement, d'un geste ultime, le Début de la vie, notamment par l'épiphanie, au centre Pompidou, à Paris, d'un personnage à la fois illustre et inconnu, le Très Sous-officier Denys Tremblay de l'Internationale Périphérique. Il a donc fallu la mort définitive et l'inhumation irrémédiable de Sa Majesté l'Histoire de l'Art Métropolitaine par ce personnage pour que la pratique artistique, dans sa plus simple expression, s'inscrive dans un espace autre, maximal.» (LDB, 76)

Il ne s'agissait donc pas seulement pour moi, on le voit ici, d'établir l'exactitude des dates et la réalité des événements, parfois invraisemblables, mais aussi de mieux comprendre ce personnage atypique et de vérifier diverses hypothèses, ou interprétations souvent hasardeuses. Et l'étude minutieuse des archives ne répondant pas toujours à mes questions, j'ai eu le privilège d'établir avec lui des échanges épistolaires, bien sûr électroniques, dans lesquels il s'est parfois confié plus librement qu'il ne s'y serait risqué dans ses comptes rendus publiques. J'ai donc reçu des courriels illustres ou majestueux, selon leur thème, dont je citerai à l'occasion les extraits les plus significatifs – et parfois les plus inattendus. C'est ainsi qu'il m'a avoué l'incertitude du «point de départ et de la motivation de son alter ego l'Illustre Inconnu: au début, je jouais le personnage sans en savoir vraiment la raison. Je m'étais abandonné un peu malgré moi et malgré ma raison à cet acte extrême. J'ai découvert depuis que le matin où j'ai obtenu un certificat de décès vierge des services administratifs de la ville de Paris, mon meilleur ami s'était donné la mort, heure pour heure, en se jetant sous le métro sur les rails de la station Place-des-Arts, à Montréal. C'est à partir de ce moment que j'ai décidé de la réalité définitive de cet alter ego, avec lequel je vais vivre durant quatorze années consécutives.» (C, 12. 11. 08)

C'est le 18 février 1983 qu'eut lieu ce suicide, et c'est seulement en janvier 1985 que Denys Tremblay décida d'assumer sa nouvelle personnalité d'«Illustre Inconnu», plus précisément de «Très Ordinaire Impersonnalité, suprême chef d'État d'esprit périphérique». C'est à partir de ce moment qu'il s'accorde à lui-même un «statut diplomatique» (préfigurant le diplôme de thèse d'État qu'il est venu obtenir à Paris), qu'il se donne le pouvoir de décréter des ordonnances périphériques, et entreprend des «visites sous-officielles» en respectant un «protocole» périphérique minutieusement élaboré (T, 169). Et c'est plus précisément le 17 janvier 1985 qu'il inaugure sa nouvelle vie avec une première «visites sous-officielles» dans sa ville natale de Chicoutimi. Nous allons le suivre tout au cours de cette journée très chargée, qui semble illustrer parfaitement les obligations protocolaires que l'Illustre Inconnu s'est imposées à lui-même pour satisfaire au devoir de son rang. Il faut bien comprendre que l'Illustre Inconnu existe désormais comme une personnalité publique, et que son chef du Cabinet des aisances protocolaires s'est assuré d'établir une étiquette et un horaire très précis, tel celui d'un chef d'État. N'est-il pas, d'ailleurs, suprême chef d'État périphérique?

Il commence par visiter sa maison natale, devenue depuis un centre d'accueil pour les enfants handicapés. Il lui tient à cœur de revoir les lieux de son enfance et il ressent l'obligation d'apporter son soutien personnel aux animateurs, ainsi qu'un moment de joie aux enfants: «Nous voyons dans cette visite un signe évident que l'art d'aujourd'hui, comme notre maison familiale, doit évoluer vers une vocation sociale

permettant de s'intégrer graduellement et plus harmonieusement à la vie quotidienne.» (LDB, 120). La chaîne de télévision communautaire a obtenu le droit de télédiffuser l'événement. Il se déplace ensuite ès qualités pour rencontrer les autorités municipales, puis se rend à l'université, où il assiste à deux rassemblements publics, l'un avec les étudiants du module des arts, et l'autre avec l'ensemble du personnel universitaire. En fin de journée, il prononce une conférence à l'Espace Virtuel, une importante galerie, avant d'honorer de sa présence un «souper périphérique sous-officiel» dans un hôtel de Chicoutimi. La visite se clôture par l'inauguration de son exposition au Musée du Saguenay, où il a accepté de présenter, pour la première fois publiquement, le «Service de la Preuve Ultime».

Chacune des rencontres de cette journée mérite d'être précisée. Car cela nous permet de mieux comprendre la vision artistique et

1. *L'Illustre Inconnu avec les résidents de sa maison natale devenue un centre d'accueil*

2. *Les différences sociales et sous-officielles se solidarisent naturellement*

politique originale de l'Illustre Inconnu.

Ce qui frappe d'abord, c'est le réalisme des objectifs que poursuit l'Illustre Inconnu. Son père a été maire de Rivière-du-Moulin, première bourgade d'où est née la ville actuelle de Chicoutimi, et il en a sans doute gardé une sensibilité particulière. Car il s'assure manifestement d'intervenir dans la réalité sociale, économique et artistique de Chicoutimi, en usant de son pouvoir politique, irréel mais très visible, et minutieusement spectacularisé. Il veille aussi à ce que ses interventions soient acceptables et même très légitimes pour ses interlocuteurs. Pour ce faire, l'Illustre Inconnu, qui a manifestement un grand sens de l'organisation et veut faire valoir le rôle illustre dont il ne doit pas déroger, s'est assuré des services de gestion de Denys Tremblay, son alter ego, professeur expérimenté au département des arts de l'Université du Québec à Chicoutimi, dont il a fait son «chef de Cabinet des aisances protocolaires». Et c'est à ce dernier que revient la responsabilité d'adresser toutes les correspondances préalables requises, pour s'assurer que chaque affaire soit clairement réglée avant la rencontre qui va en traiter, et que son succès soit certain.

L'affaire la plus importante à l'agenda de ce 17 janvier est certainement la réception à l'hôtel de ville de Chicoutimi. Non seulement pour des raisons protocolaires, mais aussi parce qu'il s'agit de mettre fin à la négligence municipale dont sont victimes les œuvres réalisées par les artistes invités au Symposium international de sculpture environnementale de 1980, notamment Brigitte Radecki, Michel Goulet, Pierre Granche, Miroslav Maler, Bil Vazan. Cette désinvolture municipale a pu être constatée malgré le protocole qui avait été signé entre la ville, l'Université du Québec à Chicoutimi et les responsables du Symposium, dont son initiateur, qui n'était nul autre que Denys Tremblay. Celui-ci tient à ce que la ville de Chicoutimi reconnaisse aux œuvres d'art un statut patrimonial irréversible. Il a déjà adressé au conseil municipal maintes lettres, dont la dernière a été particulièrement sévère, au risque de mettre en péril son objectif. Mais Denys Tremblay a compris que ce n'est ni l'ancien organisateur du Symposium international de sculpture environnementale de Chicoutimi ni le professeur d'université qui réussiraient à régler enfin le problème. Et c'est donc en tant qu'Illustre Inconnu qu'il a obtenu que Sa Très Ordinaire Impersonnalité soit reçue par le maire de Chicoutimi, M. Ulric Blackburn, et que soit recommandé en décembre 1984, puis enfin signé, après de nombreuses tergiversations, le protocole d'entente assurant la restauration et la conservation des œuvres par la Commission des services à la communauté (le 7 janvier 1986, résolution 85-85). C'est donc pour officialiser cet accord que l'Illustre Inconnu sera reçu aujourd'hui

L'épopée de l'Illustre Inconnu

par le maire et son conseil municipal.

Cette entente préfigure d'ailleurs la loi que le gouvernement du Québec signera bientôt pour assurer la préservation du patrimoine national.

Son second objectif, il le traitera avec les autorités de l'université du Québec à Chicoutimi. Bien entendu, sa visite à l'université est plus difficile pour lui, puisque son alter ego y est professeur et qu'il s'y rend aujourd'hui en Illustre Inconnu, qui a revêtu son uniforme et ses médailles. Les étudiants lui ont d'ailleurs préparé des chaussures de plomb, qu'il chausse pour exprimer la lourdeur des procédures administratives. Puis les autorités universitaires et lui échangent des discours de circonstance et de bienséance, selon l'usage. C'est d'abord le directeur du Service des communications institutionnelles qui introduit le doyen des études avancées et de la recherche, qui présente l'Illustre Inconnu, non sans finesse

1. *Remise du certificat de décès au maire de Chicoutimi Ulric Blackburn*

2. *et 3. Accueil enthousiaste par les étudiants en arts de l'UQAC*

4. *Remise des chaussures de plomb pour exprimer la lourdeur administrative institutionnelle*

5. *Les chaussures de plomb*

5

d'esprit. Puis le recteur M. Alphonse Riverin fait une allocution enregistrée sur vidéocassette. Et le moment est venu pour l'Illustre Inconnu de s'exprimer. Il recourt à quelques comparaisons et évoque plusieurs liens importants entre «les forces technocratiques, les forces populaires et les forces politiques». Puis il présente l'une de ses découvertes: le «théorème de Fermat institutionnel», qu'il écrit sur le tableau.

Et il en vient à son but, qui est pédagogique. Il se déclare en faveur de «l'édification d'un quatrième pavillon universitaire, que nous devons encore imaginer, le pavillon culturel, voué aux activités d'enseignement, de recherche et d'animation dans le domaine culturel. Je suis prêt, ajoute-t-il, afin que ce pavillon se réalise, à libérer mon chef de Cabinet des aisances protocolaires. (...) Je suis prêt à m'engager personnellement à travers mon chef de Cabinet pour cette cause hautement périphérique. J'espère que cette offre sera retenue par vos autorités universitaires». (LDB, 136)

Et le moment solennel est venu de remettre la plus haute distinction périphérique, la médaille de la Région d'Honneur *institutionis causa* à diverses personnalités présentes.

Cette fois encore, l'Illustre Inconnu sera entendu. Il obtiendra en mars 1986 que le professeur Denys Tremblay soit libéré de plusieurs charges d'enseignement, par une résolution de la Commission des études, «lors des délibérations de la réunion ordinaire tenue le 17 septembre 1985 au local A-307 du pavillon Sagamie (résolution CET-2215) relative au développement de la formation en arts visuels», signée par la secrétaire générale, pour se consacrer à l'étude du projet P.O.R.T. (pavillon des œuvres et des recherches thématiques). (T, 174-175)

La suite mérite d'être rapportée. Car, se consacrant au «mandat officiel universitaire et sous-officiel de l'Illustre Inconnu», il donnera une suite remarquable au projet. L'ancien initiateur du Symposium international de sculpture environnementale de 1980 souhaitait que ce genre d'événement soit régulièrement répété. En tant que citoyen de Chicoutimi, il savait aussi qu'il était nécessaire de déplacer les activités industrielles qui bloquent l'accès du fleuve Saguenay à la population de sa ville natale, de réaménager les espaces et d'y créer des activités culturelles. Il n'avait pas perdu non plus ses intérêts d'enfant pour l'architecture et l'urbanisme. Il propose donc d'intégrer le projet P.O.R.T. dans le réaménagement portuaire d'un Quai des Arts en bordure du fleuve Saguenay, sur cent vingt mètres de longueur, qui comprend un centre de diffusion artistique dénommé le Hangart, un théâtre expérimental et un pavillon d'exposition, créant ainsi un grand potentiel tout à la fois pédagogique pour l'université et culturel et touristique pour la ville. Sur cette base, il obtiendra même une subvention du gouvernement fédéral pour l'étude de faisabilité, et la ville se déclarera prête à donner cent vingt mille dollars par an, pendant vingt-cinq ans, indexés, pour une programmation artistique conçue par l'université. C'était un aboutissement inespéré. Malheureusement ses collègues ont résisté à l'idée, qui sera donc abandonnée. Aujourd'hui, vingt ans plus tard, il le regrette encore: «Grâce à ce projet, nous aurions réalisé l'équivalent d'un symposium à chaque année et nul doute que Chicoutimi serait devenu une ville internationale d'art. Cela réglait la pérennité et la répétition du Symposium international de sculpture environnementale de Chicoutimi de 1980, et cela constituait un élément significatif d'animation culturelle pour l'ancien port.» (C, 11. 11. 08)

Le troisième objectif de l'Illustre Inconnu, ce 17 janvier 1985, est la préservation de la maison du peintre naïf Arthur Villeneuve, le «frère

1. *L'entrée spectaculaire de la maison Arthur-Villeneuve dans le Musée de la Pulperie*
2. *Remise de la Région d'honneur au peintre Arthur Villeneuve au Musée du Saguenay*

André de la peinture», comme il se plaît à l'appeler. Cet ancien barbier a consacré vingt-deux mois consécutifs à peindre toute sa maison de la rue Taché, un peu à la manière du *Palais Idéal* du Facteur Cheval à Hauterives en France, ou du *Merzbau* de Schwitters (*Kathedrale des erotischen Elends*). C'est donc toujours l'Illustre Inconnu qui, conscient de l'importance de l'artiste, a décidé de lui remettre très officiellement la Région d'Honneur aujourd'hui. Il projette de sauver la maison en la réinstallant dans un cube de verre près du fleuve et en l'intégrant au projet P.O.R.T.

Dans ce cas encore, la suite de la démarche mérite d'être mentionnée. Car du fait de l'échec du projet P.O.R.T., l'Illustre Inconnu sera contraint de chercher une alternative:

«L'idée de sauver et de déménager la maison Arthur-Villeneuve fait son chemin. Et grâce à cette sensibilisation "impolitique" du personnage de l'Illustre Inconnu, son alter ego Denys Tremblay se voit octroyer en 1994 le rôle de conciliateur entre la famille Villeneuve et le Musée du Saguenay–Lac-Saint-Jean pour son acquisition et son déménagement à la Pulperie. Par la suite, le Musée et la Ville le mandatent pour réaliser le concept d'intégration et de mise en valeur artistique de la célèbre maison dans la fonderie de la Pulperie. En 1995, des étudiants sont engagés grâce à ce mandat et l'une d'entre eux, Nathalie Boudreault, poursuit sa maîtrise sur le sujet. Elle est même engagée à titre de "directrice adjointe des collections de la maison Villeneuve et archiviste". Personne ne sera surpris, ajoute Denys Tremblay, d'apprendre que ce scénario de dix ans sert d'illustration dans ma thèse de doctorat sur la sculpture environnementale. Il est d'ailleurs intéressant de mentionner que Mme Boudreault m'a demandé d'agir à titre de commissaire adjoint pour deux expositions et un colloque en 2005 sur l'œuvre du peintre Villeneuve.

«La maison Arthur-Villeneuve, installée dans la Pulperie, est donc un résultat dans la vie réelle d'un geste artistique de l'Illustre Inconnu. C'est un *really-made* "allongé".» (RAS)

Le projet n'était pas évident. Il fallut même ouvrir la façade du futur musée de la Pulperie pour réussir à y faire entrer l'immense camion à plateforme qui transportait la maison (telle quelle!). Mais ce succès consolida définitivement l'importance du musée.

Les succès de l'Illustre Inconnu sont donc incontestables. Il s'agit bien de l'exercice simulé du pouvoir, selon un dispositif de surimposition théâtrale sur le pouvoir administratif ou politique réel, qui en retourne les rituels d'usage comme les doigts d'un gant, et aboutit à des décisions réelles.

Parmi les nombreux autres faits et gestes de l'Illustre Inconnu, qui touchent à une grande diversité de préoccupations, on se doit de considérer aussi la Déclaration de London, qui porte sur «l'avenir post-référendaire et le rôle de la monarchie dans la libération périphérique du Québec», et qui a été faite par l'Illustre Inconnu de l'Internationale Périphérique le 30 octobre 1992 à London, en Ontario. Invité à un colloque interdisciplinaire organisé par l'University of Western Ontario, et dont la thématique était «Le faux», il saisit l'occasion pour prononcer une allocution, dont nous citerons quelques extraits, qui ne manquent ni d'invention conceptuelle ni de souffle oratoire:

«C'est pour cause de périphérisme asymétrique que nous nous intéressons munilatéralement au sempiternel débat constitutionnel canadien québécois. Vous n'êtes pas sans savoir que la Très Ordinaire Impersonnalité que nous sommes est assoiffée de vérités et qu'il nous était difficile de ne pas apporter notre humble contribution non historique afin de démêler le vrai du faux, les vérités et les mensonges, les jeux et le travail véritable d'un débat qui divise les uns et unit les autres. Le centre de nos préoccupations devenait à ce point confus qu'il pouvait nuire à la clarté de sa périphérie dont nous sommes le suprême chef d'État d'esprit.

« Pas question ici de faire de la politique partisane ni d'intervenir directement dans les affaires intérieures d'un pays francophone qui n'en est pas un et d'un autre bilingue qui ne l'est plus vraiment. Notre inconstitution impersonnelle nous oblige à promouvoir une impolitique artisane de non-indifférence et de non-ingérence en souhaitant publiquement un règlement pacifique et atlantique des forces centrifuges et centripètes qui se sont affrontées si durement et qui ne manqueront pas de s'affronter davantage. »

Comme on pourra en juger, bien avant que le roi de L'Anse ne propose une solution monarchique pour résoudre l'interminable débat constitutionnel qui obsède le Québec, l'Illustre Inconnu avait sur le sujet des points de vue aussi clairs et originaux que sur l'hégémonie métropolitaine dans le domaine de l'art. C'est, au fond, à ses yeux, le même problème. Il s'intéresse autant à la politique qu'à l'art, à la pédagogie universitaire qu'à l'aménagement urbain.

Nous sommes dès lors mieux à même de comprendre pourquoi l'artiste Denys Tremblay recourt à l'uniforme de l'Illustre Inconnu, puis à la couronne du roi Denys Ier. Mais cette stratégie est plus ancienne et donc centrale dans sa démarche. Dès 1968, il a usé du pseudonyme théâtral Tartuf pour signer des expositions. Il s'identifie symboliquement à son ami Michel-Joseph Fortin lorsqu'il apprend son suicide. Il parle souvent de lui-même à la troisième personne en citant les faits et gestes de l'Illustre Inconnu ou du roi. Lorsqu'il devient l'Illustre Inconnu, il lui adjoint, comme on sait, un « chef de Cabinet des aisances protocolaires », qui n'est évidemment jamais avec lui dans les sorties protocolaires, mais qu'on ne peut pour autant négliger, car il lui est complémentaire : « l'un met en jeu une intelligence conceptuelle, l'autre une intelligence pratique et une sensibilité empirique » (LDB 166-171). Il use de signatures réelles ou inventées pour des textes qu'il rédige lui-même, ou pour des entrevues qu'il accorde ès qualités, par exemple : Michel Belley, Renée Wells ou Sylvie Harvey. Il multiplie les alter ego, dont les interventions se fondent dans une œuvre commune. N'est-il pas illusionniste, plutôt qu'illustre ? Ou ne devrait-on pas évoquer dans ce cas des dédoublements de personnalité ? Denys Tremblay s'avance-t-il masqué sur la scène publique pour dissimuler ou surmonter un tempérament timide ? Est-il physiquement ou psychologiquement mal à l'aise dans ses relations sociales ? Un jeu d'acteur ne dissimule-t-il pas un manque de confiance en soi que surcompense et apaise l'audace de la performance sous

1. Portrait de l'Impersonnalité
   périphérique réalisé par
   Michel Lebel
2. La directrice Renée Wells
   remettant le cadeau des hôtes
   à l'Illustre Inconnu
3. L'illustre Inconnu remerciant
   son alter ego de ne pas se
   prendre pour un autre qu'il
   ne saurait être

les traits d'un autre, socialement survalorisé? L'artiste parlant de lui-même dans sa thèse, propose une toute autre réponse:

«À la différence du happening, qui demeure formel, l'Illustre Inconnu joue ici le théâtre sacré de sa propre vie avec les acteurs de son propre jeu existentiel. Il révèle à nos yeux – autrement dit à lui-même – son invisible, c'est-à-dire l'inconnu qui l'habite littéralement et intégralement. L'Illustre Inconnu est en fait l'alter ego de l'artiste et il représente et présente ses idéaux périphériques.

«Qualifié unilatéralement et à juste titre d'Illustre, cet inconnu n'en reste pas moins condamné à l'oubli le plus radical: le sien. Nous passons avec lui du champ de l'art au contre-champ existentiel et ce transfert topologique est sans détour et probablement sans retour. Est-ce une sortie de secours réaliste et prometteuse pour son art et pour sa vie? Ou est-ce plutôt un échappatoire temporaire et hasardeux pour l'artiste et pour l'homme? (...) Son "invisible"?» (T, II, VII)

Il s'agit donc d'un procédé stratégique et stylistique et non d'un problème psychologique. Et en y recourant constamment, Denys Tremblay réussit à créer un effet de dramaturgie, de tension constante entre l'artiste et ses interlocuteurs, et finalement un spectacle qui capte l'attention.

L'artiste existe davantage et augmente son pouvoir en se dédoublant, que ce soit dérisoirement ou de façon grandiloquente. En outre, en recourant à une diversité de titres, par lesquels il se parodie et se décentre de lui-même, en se distançant de façon très protocolaire des autres, ou très humoristique de lui-même, «ou plutôt toujours selon les deux colorations à la fois, (...) l'artiste se met à distance critique de la réalité immédiate à laquelle il se réfère dans son opération et son œuvre. Il rend ainsi possible l'auto-référence de cette réalité locale, qui se met à s'identifier, à exister "autrement"». (T, 232) Nous retrouvons là une autre application, psycho-scénographique, du périphérisme, cette fois comme méthodologie. Mais n'est-il pas excessif d'user de talents protéiformes pour multiplier les identités qu'il assume publiquement?

«J'ai pensé spontanément à trois images pour répondre à cette question: au papillon (le papillon Monarque d'Amérique a été pris comme le symbole graphique du journal royal), à la trilogie Père/Fils/Saint-Esprit, et à la théorie des "deux corps du roi". Je doute que ce soit une sorte de dédoublement de la personnalité mais plutôt une mutation presque biologique, normale et surtout nécessaire comme celle du papillon (en espérant un "effet papillon"!) sans aller-retour possible. Voir la transformation d'une manière binaire reflète une conception qui sépare encore l'esprit du corps, l'Art de la Vie. Je crois qu'il s'agit plutôt d'une sorte de trilogie auteur-personnage, du type Hergé-Tintin-Hertin Tingé, où, en termes de communication, l'émetteur et le récepteur sont condamnés à se confondre inexorablement, et où l'émission des signes répétés (donc compris) et des signes nouveaux (les informations) est "savamment" orchestrée dans des directions différentes. On peut le faire "instinctivement" comme Arthur Villeneuve. On peut le faire également d'une façon "transcendantale" ou "symbolique" à la manière des "deux corps du roi", si fondamentale pour les présidents ou les rois (voir diverses études sur ces deux corps dont celle de Tomas L. Dumm et surtout "Les Deux Corps du roi" par Ernst Kantorowicz, 2000). D'où la proclamation "Le roi est mort, vive le roi!" traduit par "L'Illustre Inconnu est mort, vive le roi". On peut le faire "savamment", "instinctivement" et "symboliquement" à la fois.» (C, 21. 12. 08)

Denys Tremblay s'adonne donc au savant jeu d'un chef d'orchestre, de lui-même et de ses divers alter ego. Et il réussit à les incarner avec beaucoup de réalisme et à jouer sur plusieurs registres, y compris celui de la peau de léopard dans ses «minutes du silence périphérique» ou lors du «protocole périphérique». Il commente ainsi avec une rigueur fort sérieuse ce geste qui laisse les spectateurs ébahis. Car l'assistance le voit alors enlever sa veste d'uniforme d'Illustre Inconnu et baisser son pantalon de Très Sous-officier, devant «le rideau précolonial», pour se montrer tel qu'il est.

«Il s'agit bien entendu d'une peau de léopard synthétique. Chez les prêtes égyptiens, revêtir la peau de léopard signifiait que l'esprit du mal avait été vaincu. C'est également l'emblème traditionnel de l'Angleterre, symbole de la caste royale et guerrière sous son aspect agressif (dictionnaire des symboles). Cela donne tout son sens lorsque l'Illustre Inconnu, lors de "la minute du silence périphérique, tombe en état second de mimétisme intégral" en s'exposant en sous-vêtements de peau de léopard sur fond de rideau péri-colonial également en peau de léopard, déployé pour l'occasion. Il s'agit d'un strip-tease commémoratif qui dévoile l'essentiel par le camouflage.» (C, 17. 01. 09)

Car il n'ignore pas réellement qui il est. Et ainsi, il réussit à impliquer doublement ses interlocuteurs dans la scène de rencontre. Il joue constamment tous ces rôles et veut aussi qu'on le sache en représentation. La conséquence paradoxale de ce jeu talentueux et exigeant, c'est qu'il est nécessairement pris lui-même au piège où il réussit à attirer les autres. Inconnu imaginaire, il devient plus réel que Denys Tremblay. Ordinaire, il devient illustre et ne peut plus déroger au protocole qu'il a imaginé sans décevoir totalement ses interlocuteurs et perdre toute crédibilité citoyenne. (Il courrait au désastre le plus personnel, le plus intime.) Aussi, lorsqu'il réussit cette performance extraordinaire de se faire élire démocratiquement roi et d'en adopter tous les attributs (couronne, sceptre, monnaie, etc.), il est de son devoir bien réel de se comporter en tout instant comme un vrai roi, qu'il finit donc par devenir lui-même. C'est l'uniforme qui fait l'Illustre Inconnu, et la bénédiction religieuse qui fait le roi. Il n'a plus d'autre choix que de transporter en tout instant avec lui le théâtre de son art et d'entraîner dans ses pas et ses gestes tous ses interlocuteurs, même les plus institutionnels, de l'autre côté du miroir, où ils deviennent acteurs, à leur corps défendant, jouant professionnellement avec lui les rôles qu'il leur propose, ou même qu'il leur impose. Nous sommes alors dans une œuvre d'art qui inclut la réalité.

DU déluge À Saint-Jean-du-Millénaire

Nous avons remonté le temps depuis le couronnement du roi, évoquant un étrange enterrement parisien, puis les péripéties non moins surprenantes de l'Illustre Inconnu. Alors, pourquoi ne pas remonter jusqu'au déluge, puisque déluge il y eut. Un terrible déluge, dévastateur, mais créatif aussi, comme tous les chaos, et comme l'art lui-même. Car l'Illustre Inconnu le serait sans doute demeuré, injustement malgré tout son art, s'il n'avait pas été élu roi en 1997, attirant sur lui l'attention de journalistes du monde entier et même de simples écrivains comme moi. On peut le dire: le couronnement de Denys Ier fut la réponse originale et tout à fait inattendue que le petit village de L'Anse-Saint-Jean se donna démocratiquement pour se relever du désastre tout aussi imprévisible qui s'était abattu sur lui

du 19 au 21 juillet 1996. Les destructions avaient été si dramatiques, et la déprime économique qui s'ensuivit si profonde, que la population, son conseil municipal en tête, décida, comme on dit, de faire l'impossible pour s'ensortir. Et elle eut donc l'audace de se donner un roi pour assurer sa relance économique. Aucune des autres populations sinistrées, ni celle de Chicoutimi, ni d'aucun autre village du Saguenay–Lac-Saint-Jean, n'eut pareil éclair de génie.

Mais pourquoi donc un tel déluge? Les télévisions du monde entier ont montré les torrents d'eau qui dévalèrent les rues et firent basculer dans les flots, devant nos yeux ahuris, les petites maisons de Chicoutimi. On comprit bientôt, mais un peu tard, que les tornades de pluie de ce mois de juillet avaient fait céder les digues des lacs supérieurs. Et le premier ministre Lucien Bouchard apparut à son tour à la télévision jour et nuit, tentant de prendre les commandes de vastes opérations de sauvetage. Le mal était fait. Mais un mouvement de solidarité humaine exceptionnel était né face à une telle adversité.

À L'Anse-Saint-Jean, ce sont les célèbres castors canadiens qui furent les coupables. Industrieux comme à leur habitude, ils avaient construit d'année en année des digues impressionnantes, tant elles étaient longues et hautes, pour maintenir le niveau d'eau des lacs où ils résidaient, dans les montagnes qui dominent le village. Chacun sait qu'ils se montrent ingénieux à entrelacer avec de la boue les arbres et les branchages qu'ils coupent pour bloquer les déversoirs des lacs, afin de maintenir le niveau des eaux au-dessus des entrées de leurs tanières. On avait admiré le travail de la nature, sans y prêter plus d'attention. C'est donc toute l'eau artificiellement retenue par ces barrages qui dévala soudain au milieu de la nuit sur le village endormi, lorsque les pluies diluviennes emportèrent les digues élevées par ces funestes rongeurs. Étonnamment, le vieux pont de bois des billets de mille dollars canadiens, qui avait été solidement restauré, tint bon ; mais pas le nouveau pont de béton situé en amont, appelé pont de Florac en l'honneur du jumelage avec le village des Cévennes françaises. Il s'effondra. Les routes aussi cédèrent sous la furie des eaux.

Une vingtaine de maisons furent détruites, d'autres déplacées, très endommagées, l'électricité et le téléphone interrompus. Les secours extérieurs mirent plusieurs jours à arriver, car toute la région était sinistrée. C'est dans ces circonstances exceptionnelles que le village de L'Anse-Saint-Jean, coupé du monde, apprit à ne compter que sur lui. Trois jours plus tard, le déluge enfin calmé, le maire Laurent-Yves Simard et le conseil municipal, qui avaient été infatigablement sur la brèche, firent le constat des destructions, évaluées à vingt-cinq millions de dollars. Il fut résolu de demander des emprunts bancaires d'urgence pour rétablir les

infrastructures, reloger, réparer, reconstruire. Mais comment empêcher que beaucoup quittent le village, que le chômage s'aggrave, que la valeur des maisons chute, que le tourisme périclite ? Il fallut bien admettre que le village était sinistré et que cela prendrait des années pour rétablir un semblant de prospérité. Bien entendu, il fallait d'abord parer aux urgences. Mais l'idée fit aussi son chemin qu'il faudrait trouver une idée de génie pour s'en sortir.

C'est alors qu'on évoqua les anciens projets qu'on pourrait réactiver, dont tout particulièrement celui du mont Édouard. Le conseil municipal avait en effet investi, au meilleur de ses capacités, dans le développement d'une station de ski. Demandant en vain une aide financière du gouvernement, qui lui opposait le moratoire alors imposé à toutes les stations de ski du Québec, la population de L'Anse-Saint-Jean avait même décidé de bloquer les routes

Page 78
1. *Le déluge du 21 juillet 1996 frappe très durement le village de L'Anse-Saint-Jean*

Page 81
1. *Dès le 21 janvier 1997, le conseil municipal procède à l'assermentation du roi désigné par référendum*
2 et 3.
   Le roi désigné prête ses trois serments d'office devant le maire Laurent-Yves Simard

et une centaine de bûcherons avaient procédé à des coupes forestières illégales préfigurant les installations et les pistes de la station de ski. Ils avaient ainsi obtenu finalement que le gouvernement cède: une mesure exceptionnelle obtenue grâce à un grand mouvement de solidarité et de volonté populaire. Mais, malgré cette victoire, la station vivotait, manquait de ressources pour envisager les investissements requis. La municipalité avait même dû faire face à une faillite susceptible d'entraîner une mise en tutelle gouvernementale. Le conseil municipal chercha alors comment créer une activité touristique des quatre saisons pour le mont Édouard, qui permettrait d'intéresser des promoteurs immobiliers. Le village voisin Rivière-Éternité avait réussi à attirer de nombreux touristes depuis qu'il avait inauguré une exposition internationale de plus de deux cent cinquante crèches et nativités, souvent grandeur nature, d'une remarquable diversité de styles et souvent signées par des artistes connus. On avait choisi de les présenter aux visiteurs le long d'un bel itinéraire forestier.

S'inspirant de cet exemple, le conseil municipal et la Société de développement de L'Anse-Saint-Jean conçoivent l'idée d'un parc de sculptures sur la montagne. Ils s'adressent à une firme connue de consultants, Samson, Bélair, Deloitte & Touche, pour une étude de faisabilité. La firme, sur la base d'une planification qui confirme l'importance stratégique du mont Édouard, cherche des projets. Elle est à la recherche d'un concepteur expérimenté. L'attention se porte sur un professeur d'art de l'Université du Québec à Chicoutimi, celui-là même qui y avait organisé, en 1980, un retentissant Symposium international de sculpture environnementale et avait laissé en héritage à cette municipalité un ensemble de sculptures d'artistes renommés, comme on l'a vu précédemment. On lui demande s'il a des idées. Et c'est ainsi que la proposition de nul autre que Denys Tremblay lui-même, l'Illustre Inconnu, à son corps défendant fort connu dans la région, est retenue. Le contrat est signé. En avril 1993, la firme de consultants présente donc aux autorités de L'Anse-Saint-Jean un «Plan de développement récréo-touristique», puis un mois plus tard une «Étude conceptuelle» et une «Étude de faisabilité technique», toutes deux rédigées par Denys Tremblay, sous le titre: «Saint-Jean-du-Millénaire - Sculpture environnementale sur le mont Édouard.»

Denys Tremblay se révèle visionnaire et très ambitieux. Il vise «un grand coup, à la hauteur du millénaire» pour répondre aux attentes du village. Il ne s'agira pas d'un parc de sculptures disséminées sur le mont Édouard, mais d'une sculpture environnementale géante et végétale, une fresque forestière de 1,2 km², soit 7,3 hectares. Il prend en compte la vocation forestière de la région et les ravages de la tordeuse d'épinette, un insecte dont les effets d'abord destructeurs ouvrent ensuite la voie à une régénération plus diversifiée de la forêt. Ce sera une sculpture monumentale, emblématique, non pas en pierre, mais sculptée dans le végétal, en recourant au jeu naturel des diversités de couleur selon les essences arboricoles, intégrant les variations saisonnières et tenant compte de la croissance du boisé.

« Le projet consiste à réaliser, grâce à des coupes sélectives d'arbres et à des plantations spécifiques, un immense dessin forestier représentant le visage et la main de saint Jean-Baptiste. Techniquement le projet est possible parce que la forêt est jeune et mixte (elle a été dévastée par la tordeuse d'épinette en 1984) et que la pente est acceptable (plus ou moins 10 %). L'œuvre aura une durée de vie de 50 ans. » (RCADT, 5)

Cette fresque géante ne sera pas sur le mont Édouard lui-même, mais plutôt sur le flanc de la montagne voisine que l'on découvre du haut du mont Édouard où conduisent les remontées mécaniques de la station de ski, et où l'artiste prévoit construire une série d'observatoires. Il suggère aussi de recycler les ouvriers forestiers en « sculpteurs » pour créer et entretenir la sculpture Saint-Jean-du-Millénaire.

La fresque végétale représentera le visage et la main de saint Jean-Baptiste, le saint patronyme du village de L'Anse-Saint-Jean, et en référence à la fête nationale québécoise de la Saint-Jean.

Le projet est totalement novateur, puissant, unique en son genre, remarquablement adapté à la région et au site. Il présente une capacité d'attraction touristique valable pour les quatre saisons.

L'artiste Denys Tremblay obtient aussi une importante bourse du Conseil des arts et des lettres du Québec pour concevoir des mosaïques florales pendant l'été 1995 dans le cadre du projet. Il a l'idée d'un programme informatique permettant de transférer n'importe quelle image en disposition florale. À chaque pixel correspond un pot ou un pied de fleurs d'une couleur donnée. Et il fait appel, pour ce faire, au Groupe de Recherche en Interactivité Personne/Machine — le GRIP/M — à l'Université du Québec à Chicoutimi, pour lequel travaille son frère Richard. À eux deux, ils cumulent deux doctorats, l'un en arts plastiques, l'autre en physique/mathématiques. Ils se sont engagés à réaliser une première mosaïque florale prototype pour l'été 1995. Le logiciel qu'ils ont conçu permet une transformation d'échelle et de médium. Ainsi, à partir d'une photographie qu'il analyse, le programme est capable de calculer en quelques minutes un plan et des instructions pour transférer les pixels de couleurs en fleurs déterminés selon la saison et la zone qui pousseront dans des sacs de terres préalablement percés. Chaque sac devient un pixel de six points colorés. Il suffit par la suite

1. *Les deux frères Denys et Richard Tremblay,*
   respectivement docteur en arts plastiques et docteur en
   physique-mathématiques

fresque géante.

Évoquant les artistes qui l'ont précédé dans le domaine de la sculpture environnementale ou végétale, Denys Tremblay précise le fil conducteur de l'histoire de l'art dans lequel il s'inscrit, mais aussi qu'il dépasse, voire qu'il renverse. Il le rappelle dans sa thèse de doctorat :

« Au début du siècle, Moholy-Nagy et Duchamp avaient su imposer la nature contextuelle et/ou événementielle de leurs œuvres ; l'un par l'utilisation lumino-cinétique (artistique) du contexte physique de présentation de l'œuvre d'art ; et l'autre par l'utilisation conditionnelle du contexte sociologique de présentation d'un objet quotidien. C'est ainsi que l'objet sculptural accéda aux échelles architecturale et théâtrale qui caractérisent la sculpture environnementale. La totalisation esthétique des espaces quotidiens conçus avec la volonté d'intégrer l'art dans la vie, de même que tous les espaces d'art nés de la volonté d'intégrer la vie dans l'art, ont pu aboutir à des expérimentations concluantes. Nous étions dans un processus d'expansion de l'objet sculptural via l'utilisation des échelles architecturale et théâtrale. » (T, 221)

Et, conscient de la signification de sa proposition, Denys Tremblay compare son projet

d'installer les sacs selon les instructions déterminés par l'ordinateur. Ce procédé offre un potentiel d'applications extrêmement intéressant. Et une fois l'aménagement floral réalisé, on peut oublier le programme informatique, pour s'étonner du choix de l'image florale qui apparaît dans le contexte local, urbain ou paysager. Les deux frères prévoient que ce logiciel permettra de réaliser une grande diversité de mosaïques florales, et d'en renouveler annuellement la thématique. Les aménagements floraux seront disposés sur la montagne pour que les passagers de la remontée mécanique, hautement perchés, puissent jouir du spectacle pendant les vingt minutes de l'ascension mécanique. Le projet vise à créer un événement floral annuel, qui complètera le pouvoir d'attraction touristique de la

de fresque végétale géante au projet de «monument à la IIIᵉ Internationale» de Vladimir Tatline en 1919-1920. L'artiste russe ne put faire que la maquette de cette tour en spirale, plus haute que la tour Eiffel, qui devait s'élever à près de 400 mètres. En effet, le budget requis fut jugé excessif par le gouvernement soviétique de l'époque, à commencer par Lénine lui-même. Mais la seule maquette de cette œuvre, qui visait à «représenter la révolution socialiste et proclamer l'union des peuples», demeure un symbole fondateur de la sculpture moderne. Dans sa thèse, Denys Tremblay porte aussi beaucoup d'attention au *land art* de Robert Smithson et de Richard Long, ainsi qu'aux œuvres de Christo. Il n'ignore pas non plus la tradition de l'art végétal, qu'il s'agisse des jardins à l'anglaise ou à la française. Cependant, il ne connaît pas encore les «libres jardins» du concepteur de paysage français Gilles Clément, ni le chien végétal géant de l'artiste américain Jef Koons devant le musée de Bilbao, qui utilisera lui aussi les couleurs des pots de fleurs comme des pixels vivants.

Mais plus localement, il cite aussi volontiers la maison peinte du Chicoutimien Arthur Villeneuve:

«C'est, souligne-t-il, une sculpture environnementale avant la lettre, peut-être l'une des premières au Québec et au Canada. Elle correspond en tout point à la définition de "sculpture environnementale" que j'ai élaborée dans ma thèse de doctorat. Il s'agit, en effet, d'un espace résultant d'une célébration plastique individuelle, offrant à l'expérimentateur une programmation polysensorielle spontanée, dans le but d'établir un paradigme esthétique...» (TR, 15)

On devra un jour reconnaître à Denys Tremblay le mérite de sa démarche pionnière et des analyses qu'il y a consacrées. Il résume d'ailleurs remarquablement la problématique en jeu:

«Le sculpteur environnemental d'aujourd'hui manipule des données fort complexes dans ses œuvres. En effet, ses actions créatrices, porteuses de références quotidiennes et/ou théâtrales (donc porteuses de références individuelles et/ou collectives), mettent en œuvre un dispositif spatial lui-même porteur de références architecturales et/ou naturelles. L'opération artistique qu'il initie et le produit qu'il réalise s'imbriquent dans une multitude de données hétéromorphes. Sa motivation "différenciante" est compliquée par le fait qu'elle impose impérativement l'opérationalité. Non seulement l'artiste doit-il proposer à ses partenaires contextuels de nouvelles «règles du jeu», mais celles-ci doivent être suffisamment intéressantes pour que ces partenaires éventuels acceptent de jouer le jeu du *really-made*. Pour y arriver, l'artiste doit maintenir l'exemplarité de sa proposition initiale en négociant, conjointement ou simultanément, avec le

contexte de l'art et de la vie. S'il se montre suffisamment idéaliste dans le monde de la réalité et suffisamment réaliste dans le monde de l'idéal, il arrivera à créer un consensus local.» (T, 223)

Comme Robert Smithson ou Richard Long, et comme Christo, Denys Tremblay lie donc sa démarche artistique au contexte local politique, économique et social. Il considère, comme eux, que les longues transactions requises avec beaucoup d'institutions, les audiences, les réunions avec les citoyens, surtout lorsque sont impliquées des zones habitées, et la partie juridique de réalisation du projet, font intrinsèquement partie de l'œuvre. Il évoque aussi la notion de «sculpture sociale» de l'artiste allemand Joseph Beuys.

Et c'est dans cet esprit qu'il lie son projet au millénaire, le symbole pour lui d'un nouvel optimisme. Il espère que cette fresque végétale fera date, en tant que forme inédite d'art à dimension écologique aussi bien que sociologique, «dans la lignée des artistes du XXIe siècle»,

Pages 86-87

1. *Projet de fresque forestière Saint-Jean-du-Millénaire derrière le mont Édouard*

Page 88

1. *Saint-Jean-du-Millénaire : simulation au printemps*
2. *Saint-Jean-du-Millénaire : simulation à l'été*
3. *Saint-Jean-du-Millénaire : simulation à l'automne*
4. *Saint-Jean-du-Millénaire : simulation à l'hiver*

où il voudrait s'inscrire. (C, 31. 12. 08) Ce pourrait être aussi – et ce sera – un titre stratégique pour aller chercher des sources de financement des gouvernements désireux de saluer l'entrée dans le nouveau millénaire.

Quant à son choix de représenter le visage et la main de saint Jean-Baptiste, cette décision s'impose pour honorer le patronyme de L'Anse-Saint-Jean. Il sait aussi que la population de L'Anse-Saint-Jean a été attentive au succès du parc de crèches géantes de Rivière-Éternité, qui attire un tourisme religieux important, et accueillera favorablement l'idée d'une fresque spectaculaire évoquant un oratoire végétal susceptible peut-être d'acquérir une grande renommée religieuse internationale.

«Le projet Saint-Jean-du-Millénaire visait ultimement, note Denys Tremblay, trois catégories de visiteurs attirés par le tourisme soit religieux, soit d'agrément, soit de commémoration. En effet, nous espérions vendre 1400 parcelles de terrain et donner aux propriétaires de ces parcelles le droit d'y déposer leurs urnes funéraires, s'ils le désiraient. Cela n'avait aucune incidence sur la nature visuelle du portrait forestier de saint Jean mais cela lui donnait un authentique sens humain. Il aurait fallu faire au sommet du mont Édouard un rappel signalétique des emplacements pour donner à ce site d'abord esthétique et religieux une dimension sociale très profonde et familiale. Ce site aurait commémoré le peuple québécois lui-même, intrinsèquement, à travers ses familles mêmes.» (C, 11. 01. 09)

Il a en tête l'exemple de l'Oratoire Saint-Joseph de Montréal, qui a été bâti grâce à la persévérance exceptionnelle du frère André. Il connaît bien sûr le site de l'église située sur le mont Royal, dont la promotion publicitaire actuelle peut être significativement comparée à son projet:

«Ce religieux de la congrégation de Sainte-Croix a su réaliser un rêve extraordinaire en fondant l'Oratoire Saint-Joseph. Un véritable héritage pour toutes les générations de croyants dans le monde! À travers l'expérience spirituelle, les arts, la culture, l'architecture et la beauté de la nature, vous vivrez des moments uniques. Mettez le cap vers le mont Royal à l'Oratoire Saint-Joseph!»

Denys Tremblay porte donc à ce projet une attention personnelle considérable. D'ailleurs, beaucoup de ses amis, comme de ses détracteurs, et moi-même à coup sûr, ont cru reconnaître son autoportrait dans le saint Jean-Baptiste qu'il a dessiné pour le mont Édouard. Même ossature faciale, même barbe et cheveux bouclés. S'est-il inspiré de l'une des peintures classiques de la Renaissance pour donner ce visage à saint Jean-Baptiste? Et connaît-il l'autoportrait que Michel-Ange a introduit subrepticement de lui-même dans le tableau d'autel de la chapelle Sixtine, que Denys Tremblay a visité une première fois en 1975 et qu'il retournera voir en 2000? Il en reviendra chaque fois extrêmement impressionné. Certes, Michel-Ange s'est représenté en écorché suspendu à la main de saint Bartholomé, dans une posture de souffrance qui est à l'opposé de la gloire du saint Jean-Baptiste de Tremblay. Mais il est permis de dire que cette figure monumentale de la fresque végétale évoque immanquablement la puissance sculpturale des personnages de Michel-Ange. Aurait-il donc ainsi fait preuve d'égocentrisme? Denys Tremblay se défend vigoureusement contre de telles attaques:

«J'ai pris l'image dans le Larousse du XXᵉ siècle (dictionnaire en six volumes qui a été une grande source d'inspiration dans ma jeunesse), Vol. 4, de I à M, page 163. L'image n'a pas deux pouces de haut. C'est un dessin de l'artiste Paul Dubois qui représente Jean le Baptiste la main pointée vers le haut (l'image conventionnelle du précurseur). J'ai agrandi la minuscule main et le minuscule visage par ordinateur. Plusieurs personnes ont pensé ou voulu croire que la fresque était un autoportrait... une légende provenant sans doute de la confusion avec l'expression "le roi veut faire son visage" (dans le sens de son œuvre), devenue "le roi veut faire *son* visage" (dans le sens d'un autoportrait). J'ai l'original de la page du dictionnaire Larousse dans mes archives pour qui voudrait le voir.»

(C, 08. 01. 09)

Et il insiste dans un deuxième courriel le même jour :

«Cette confusion m'a beaucoup nui. Plusieurs ont vu cette fresque comme un orgueilleux travail d'autoportrait plutôt qu'un respect de l'iconographie religieuse. Si j'avais voulu faire le portrait caché de quelqu'un, j'aurais plutôt choisi quelqu'un au pouvoir, comme Michel-Ange l'a fait. Aujourd'hui, je prendrais le visage d'Obama, un précurseur noir (en espérant qu'il le soit vraiment). Si en politique, "la perception est la réalité", en art "l'imaginaire est la réalité". Comme mon travail d'artiste est métonymique, je ne peux cependant empêcher qu'il permette aux lecteurs (expérimentateurs) de choisir chacun son point de vue, artistique (imaginaire) ou politique (réel) quant à ce visage, plutôt que de se voir imposer un sens par l'artiste-auteur.» (C, 08. 01. 09)

Nul ne doutera ici de sa sincérité. Mais qu'importe la petite histoire. Car cette ressemblance évidente entre Denys Tremblay et saint Jean-Baptiste est encore plus troublante s'il s'agit d'une simple coïncidence et non de narcissisme, surtout chez un Illustre Inconnu, capable de décliner de multiples personnalités. Et c'est donc moins la ressemblance physique que nous invoquerons ici, que le lien secret qui lie visiblement Denys Tremblay à saint Jean-Baptiste comme à un alter ego mythique. Nous allons d'ailleurs en donner bientôt la preuve.

Tel est donc le projet, tout à fait exceptionnel, que le conseil municipal de L'Anse-Saint-Jean a retenu en 1993 pour relancer le développement du mont Édouard. Il est évalué à un million de dollars, un investissement à la mesure de l'enjeu, et dont on a donc entrepris de trouver le financement. Mais, depuis, les mois ont passé, un an, deux ans, puis trois, et le projet, malgré son mérite, n'a toujours pas recueilli les appuis nécessaires à sa réalisation, ni de la part des gouvernements ni du côté des investisseurs privés. Et c'est alors, dans cette situation d'une certaine morosité, qu'est survenu le déluge en juillet 1996.

C'était plus qu'il n'en fallait pour que le conseil municipal, une fois le choc passé, se mettant en quête d'un outil stratégique de relance économique, décide cette fois de faire de la réalisation de la fresque une priorité absolue. De tous les projets sur la table, c'était manifestement celui-là le plus prometteur. Mais comment réussir à obtenir un financement qu'on avait pas réussi à trouver depuis trois ans? L'auteur du projet, Denys Tremblay, suggère alors qu'on recherche un porte-parole médiatique capable de mobiliser les appuis. Des noms circulent. Les personnalités auxquelles on voudrait avoir recours sont trop difficiles à convaincre, ou insuffisamment connues. Et l'artiste, qui ne manque pas d'imagination, et qui s'est déjà investi dans ses rôles d'Illustre Inconnu et de chef d'État d'esprit périphérique trouve une nouvelle idée, tout à fait inattendue. Il propose au conseil municipal de créer rien de moins qu'une monarchie municipale. Une telle initiative mettrait à coup sûr le village de L'Anse-Sain-Jean sur la carte et attirerait l'attention des médias: une bonne façon de sensibiliser les gouvernements et les grandes corporations au dynamisme d'une municipalité qui veut créer des conditions gagnantes pour son redressement économique. L'idée séduit. Elle en enthousiasme certains. Elle inquiète aussi. Est-ce raisonnable? On y réfléchit, on hésite, on recule, on en débat au conseil municipal. Certes, le temps presse, mais l'idée n'est pas sans risque, du fait de son originalité et de son éventuelle interprétation politique, qui pourrait déplaire en haut lieu. Mais si on va de l'avant, la même question se pose encore: qui acceptera d'assumer le rôle? Combien cela coûtera-t-il? Y-a-t-il des candidats? Denys Tremblay ne se propose pas. Bien au contraire, il demande qu'on fasse le tour de toutes les candidatures possibles. Le maire juge impensable d'être candidat, et les divers notables se désistent l'un après l'autre. Personne n'est disposé à changer de vie et à s'engager personnellement dans une telle aventure. Denys Tremblay répète qu'il n'a pas cette ambition. «J'ai cherché quelqu'un: le pharmacien s'est caché, le maire a dit non. À la fin, certains m'ont dit: "c'est ton

projet. Vas-y!"» (*La Presse*, 8 décembre 1999). Il est artiste, il a déjà joué bien des rôles publics inattendus. Ce sera donc lui. Secrètement, il est aussi attiré qu'inquiet. Certes, il est déjà très connu dans la région, mais il faudra des élections, car personne n'envisage de recourir à un simple figurant. Et la tâche, qu'il faudra inventer et assumer quotidiennement, constituera un défi considérable. Les dés pourtant en sont jetés. Il faut trouver le financement de la fresque, son grand projet! S'il est élu, il sera donc roi!

Nous voici donc, chers lecteurs, par la magie du temps, revenus au 24 juin 1997! La devise royale n'est-elle pas: «Je me souviens de mon avenir!» Et vous savez maintenant comment il fut possible que le petit village de L'Anse-Saint-Jean organise, avec tout le succès qu'on a vu, le couronnement de son roi Denys Ier. Nous savons qu'il s'agit bien d'une vraie histoire, aussi étonnante qu'elle puisse paraître, aussi incroyable qu'elle semble encore aujourd'hui à ceux qui s'en souviennent. Comme le temps passe vite! Il fallait, vous l'admettrez, qu'un chroniqueur attentif en reconstitue les péripéties pour que les générations à venir puissent comprendre encore l'étrange série de liens de cause à effet qui la rendit possible.

Nous voilà donc à nouveau dans la petite église Saint-Jean-Baptiste. Nous sommes précisément au moment où le roi couronné prononce le discours du trône. Il évoque passionnément saint Jean-Baptiste, qui a donné son nom au village, à son église et au projet de fresque forestière. Il y voit le frère symbolique du Christ, à l'époque un rebelle, qui baptisera le Seigneur dans le Jourdain, puis s'effacera devant le Christ, et sera tué :

« Rarement a-t-on donné à un homme le destin de nommer l'innommé, de reconnaître l'inconnu, d'annoncer ce qui doit être. L'Homme le plus aimé de Dieu, celui-là même qui fut annoncé par l'ange Gabriel six mois avant l'annonce faite à Marie, cet homme nommé Jean le Baptiste nomma, reconnut et annonça le Christ. Par sa mission, Jean le précurseur a clos l'ère de l'Ancien Testament et inauguré l'ère du Nouveau Testament. Cet homme qui n'avait pas peur de reprocher aux puissants de son temps leur inconduite, faisait peur même s'il était motivé par des intentions bienveillantes. "Tout homme qui n'a pas peur fait peur", dit le proverbe.

« Certes, Jean le Baptiste, le précurseur, paya de sa vie son audace, mais son œuvre fut grandiose et l'ère annoncée dure encore deux millénaires plus tard. Saint-Jean-du-Millénaire, ce Jean le Baptiste retrouvé que nous voulons réaliser à même les arbres de la montagne, a pour destin de clore ce deuxième millénaire et d'annoncer le nouveau. Le troisième millénaire sera celui de la réconciliation de l'Homme avec lui-même et avec son Dieu ou ne sera pas, car les temps nouveaux sont arrivés. »

Comme on peut en juger, Denys Ier lie le succès de son projet à l'histoire et à la symbolique exceptionnelles de saint Jean-Baptiste. Lui-même le répète avec insistance, comme une invitation à tous : « Le temps est venu de traverser la rivière, le temps est venu d'enjamber le pont, le temps est venu de passer sur l'autre rive. » Il a en quelque sorte saisi la main de saint Jean-Baptiste, qui orne son sceptre. Il en a fait son inspiration, son compagnon de route. Il veut rassembler autour de lui la population de L'Anse-Saint-Jean si éprouvée par la catastrophe du déluge, pour « passer sur l'autre rive », celle du nouveau millénaire et de l'espoir qu'il annonce. Il s'efforce de lui redonner le sourire. Et aujourd'hui, il y parvient !

Son mandat monarchique sera d'ailleurs prioritairement de trouver les fonds requis pour le projet de Saint-Jean-du-Millénaire, qui a été adopté par le conseil municipal et la Société de développement. Car il faut le financer, avant qu'il ne rapporte tous les dividendes espérés.

On crée donc la Fondation Saint-Jean-du-Millénaire, un organisme de charité officiellement reconnu par les deux paliers de gouvernement, le fédéral et le provincial, dont le mandat spécifique est de réaliser le projet de fresque végétale. La Fondation lance officiellement sa campagne de financement le 25 février 1998. L'enthousiasme est patent. Un plan de développement communautaire est aussi approuvé par le Sommet économique local : cent neuf bûche-rons de cette région forestière proposent de travailler gratuitement de deux à quatre jours chacun pour des coupes sélectives, un travail qu'on évalue à quelques 35 000 $. L'effervescence est grande. La monnaie royale, les De L'Art de L'Anse, circulent et sont échangés contre des dollars canadiens dans l'exubérance. La Royale de L'Anse se vend bien et l'on songe à dévelop-per des fermes de houblon. Le design n'est pas en reste : un ébéniste montréalais voudrait s'ins-taller à L'Anse-Saint-Jean pour créer un style royal, le style Denys Ier. Le drapeau royal flotte, le musée est un succès. On inaugure des « suites royales » aux Gîtes du Fjord et à la Maison Des-lauriers, qui attirent des clients importants, et même des ministres. Des organisateurs de vo-yages proposent un programme qui permet aux visiteurs d'être reçus « chevaliers de l'Ordre de Saint-Jean-du-Millénaire » après deux jours d'ac-tivités socioculturelles closes par un bal royal. L'Auberge des Cévennes ne désemplit pas. On projette d'ouvrir un hôtel royal pour les touris-tes. Les produits dérivés se multiplient : cartes postales, artisanat royal, produits du terroir royaux, films, etc. On commence aussi la vente des 1400 parcelles du terrain de la fresque, qui donneront droit à un reçu d'impôt de la Fon-dation. Les acheteurs obtiendront également une attestation royale signée par le roi et leurs noms apparaîtront sur une plaque au sommet du mont Édouard. On espère obtenir près de 200 000 $ à ce chapitre d'ici l'an 2000.

La caisse populaire locale n'est pas en reste. Elle recherche des appuis d'hommes d'affaires pour soutenir le projet et relancer l'économie régionale. Elle contacte Noël Daigle, ancien pré-sident de la chambre de commerce de Jonquière, qui a pris sa retraite à L'Anse-Saint-Jean. Noël Daigle aide à créer en juillet une association, « Les Amis du roi », pour soutenir la démarche de Denys Tremblay et organiser la recherche de financement pour le projet de fresque végétale. On fera deux événements-bénéfice chaque mois pour lever des fonds, on recherchera des com-mandites. Il s'agit aussi d'obtenir des dons pour chaque conférence que fera le roi sur invitation. Car Denys Tremblay est devenu une vedette mé-diatique. « On entendait une mouche voler cha-que fois que le roi prenait la parole », se rappelle aujourd'hui Noël Daigle.

De multiples événements s'ensuivent, dont un rallye royal, des rencontres avec le roi et la vente de couverts. Des promoteurs s'enthou-siasment devant les occasions nouvelles de « ce poétique coup d'état d'esprit périphérique », qui a tout pour changer la dynamique sociale. En juillet, le roi nomme baron l'homme d'affaires bien en vue Alain Laberge. Et il multiplie les sorties officielles. La ville de Saint-Félicien envi-sage de s'impliquer et d'envoyer une délégation plénipotentiaire. En septembre, le roi est invité

1. *Signature du livre d'or de la municipalité de Gatineau lors de la visite officielle du roi de L'Anse*

2. *Échange de livres avec le maire de Gatineau Guy Lacroix*

par la ville de Gatineau. Le maire Guy Lacroix veut être le premier à reconnaître le royaume de L'Anse-Saint-Jean et «offrir un appui moral ou monétaire à son projet». C'est le tapis rouge au casino de Hull. D'autres villes veulent l'imiter. Le roi est invité à participer au Salon d'achats du groupe pharmaceutique Essaim à Phoenix, en Arizona. À l'initiative du président Guy-Marie Papillon, les participants votent une importante commandite (120 000 $) pour le projet Saint-Jean-du-Millénaire, aussitôt annoncée dans les médias régionaux. En reconnaissance, le président Papillon est nommé «très grand commandeur de l'Ordre des compagnons du millénaire». Les recherches de subventions progressent aussi. Le Bureau canadien du millénaire a sélectionné le projet de Saint-Jean-du-Millénaire parmi les meilleurs à l'échelle canadienne et prévoit une subvention de réalisation de 260 000 $. Le Fonds québécois de lutte contre la pauvreté envisage de donner 300 000 $. Une grande papeterie offrirait 100 000 $. D'autres contributions diverses totalisent bientôt 50 000 $. Un Programme d'emplois sociaux et communautaires devient disponible pour un montant de 24 000 $. L'Anse-Saint-Jean serait-elle devenue une sorte de petite principauté de Monaco sur le fjord du Saguenay?

C'était le but, mais ce n'est pas vraiment le cas. Plusieurs articles de journaux ont émis des doutes sur le bien-fondé de cette monarchie. Pendant l'été 1999, Louis Champagne, le «roi des ondes régionales» de la station de radio CKRS entreprend une campagne de dénigrement systématique contre le projet royal, qui sera reprise par les railleries permanentes de la station CJAB. Ce persiflage médiatique est amplifié par les deux postes de radio qui ont, comme par hasard, le même propriétaire. Il suffira de multiplier les caricatures désobligeantes dans le journal local, propriété de Power Corporation, (le royaume de L'Anse est tout près de Sagard, où la famille Desmarais, qui règne sur Power Corporation, a fait construire deux châteaux impressionnants), pour graduellement contaminer la perception régionale. En 1998, la station CJAB se lance dans une campagne régionale contre le roi et contre le projet de fresque: «On fait rire de nous!» Les attaques deviennent insistantes et agressives. En avril, CJAB finance même une pseudo-fresque, qui «n'a pas coûté une cenne», faite d'arbres coupés représentant le sigle com-

mercial de la station. On montre l'œuvre par avion à qui veut la voir. La direction de la station prouve ainsi sa détermination malveillante. Cette hostilité médiatique se traduit aussi par d'innombrables caricatures dans les journaux. Face à ce tam-tam médiatique, les citoyens commencent à douter et à se désister. Simultanément, chaque promesse d'implication financière des grandes corporations ou des partenaires déclarés est successivement abandonnée, sans autre explication. L'argent promis ou espéré pour le projet Saint-Jean-du-Millénaire ne rentre donc pas et on accuse le roi d'inefficacité. «Bien sûr, note Denys Tremblay, des enjeux politiques s'étaient joués à L'Anse-Saint-Jean. Mais fallait-il accuser d'obscurs manipulateurs, en parler dans les médias, jouer à la société du spectacle? J'ai plutôt choisi de me taire», souligne-t-il. (RAS, 4)

Simultanément, les rentrées d'argent gouvernemental, attendues après les dépenses entraînées par le déluge, tardent. Dans un article publié le 11 avril 1999 par le journal *Le Réveil*, et intitulé «L'Anse-Saint-Jean crie à l'aide», la nouvelle mairesses, Rita Gaudreault, qui a succédé à Laurent-Yves Simard, souligne que le village n'a jamais été dans une situation aussi précaire sur le plan financier. «On n'a pas envie de gérer le déluge pendant vingt ans!». En effet, les mauvaises nouvelles se succèdent. La municipalité, qui a dû emprunter pour faire face aux urgences des démolitions, s'est gravement endettée. Les intérêts à payer se sont accumulés d'année en année. Or les chèques de remboursement du gouvernement du Québec ne couvrent pas la moitié des coûts. Les dépenses totalisent quelque 800 000 $, ce qui est considérable pour un petit village qui ne compte plus en 1999 que 1250 habitants. Les difficultés sont si grandes que le découragement a failli l'emporter et que le conseil municipal a même envisagé un moment de demander la tutelle du gouvernement. Or, l'aide financière est chiche.

« On pensait recevoir 700 000 $, mais ce n'est qu'un chèque de 435 000 $ que nous avons reçu en paiement final. Avant le déluge, nous étions une municipalité prospère. Quand une municipalité ne peut plus investir dans son développement, elle régresse, souligne la mairesse. On gère le passé depuis deux ans. On aimerait bien regarder vers l'avenir. »

Et commentant les difficultés que rencontre également le financement du projet Saint-Jean-du-Millénaire, elle réagit avec réalisme :

« Il y a eu du dénigrement de la part des médias écrits, de la radio, de la télé, mais ce sont nous, citoyens du village, qui sommes à blâmer avant tout. Si le milieu ne collabore pas, il sera difficile de montrer notre bon vouloir devant les instances gouvernementales. »

Malgré les apparences, la situation est donc devenue difficile. L'euphorie première a laissé place aux inquiétudes. Le projet est-il condamné?

Non. La situation rebondit : Québec rembourse enfin l'intérêt de la dette du déluge. De cet argent inattendu (160 000 $), la municipalité décide alors d'accorder une subvention de 100 000 $ pour commencer sans plus tarder les travaux de préparation de la fresque végétale. Le projet semble sauvé. C'est sans compter les réactions d'un certain nombre de citoyens qui ont été sensibles aux critiques émises par les médias. Le 28 juillet, une pétition circule. Elle est signée par 548 citoyens, qui soulignent l'échec de la recherche de subventions et de donateurs. Les citoyens déclarent qu'ils ne veulent pas être les seuls contributeurs au projet. La grogne augmente. Les journaux locaux se font l'écho de ces turbulences. L'un des protestataires déclare : « Il y a environ cinq cents payeurs de taxes dans la municipalité, c'est donc leur demander 200 $ à chacun. Et pour légitimer cette décision, le conseil municipal nous répond que la subvention est destinée à la Fondation du millénaire et non à la monarchie. Qu'on ne nous prenne pas pour des idiots, c'est bonnet blanc et blanc bonnet! » (*Le Réveil*, 4 juillet 1999). La mairesse Rita Gaudreault maintient sa position, confirme le vote, et rappelle que cette subvention n'est pas destinée à la monarchie. Elle insiste sur l'importance stratégique du projet de la fresque pour le développement durable de L'Anse-Saint-Jean.

La Société de développement de L'Anse-Saint-Jean réagit aussi et prend fait et cause pour le projet. Elle distribue un prospectus qui souligne qu'il permettra de donner au mont Édouard une capacité d'attraction pour les quatre saisons. Elle rappelle que 159 emplois à vocation touristique sont en jeu. Elle plaide pour la création de nouvelles entreprises parallèles qui exploiteront le thème de la fresque végétale. Elle énumère tous les avantages escomptés: «doter le Bas-Saguenay d'un produit d'appel qui renforcera l'achalandage de nos entreprises touristiques et commerciales, diversifier le créneau de notre marché en attirant le tourisme religieux et culturel, prolonger le séjour de nos visiteurs, étaler le développement de nos infrastructures touristiques sur l'ensemble de notre territoire.»

Le même document insiste sur l'enjeu commercial, l'importance stratégique pour garder les jeunes sur place. Et le président de la Société conclut: «Ainsi, le conseil municipal est tout à fait justifié d'investir pour stimuler notre économie locale.»

Certes, une première tentative, en novembre 1997, d'Adrien Gagnon et de trois conseillers, tous hostiles au projet, de se faire élire avait échoué de justesse. Mais les pétitions continuent de circuler. La désinformation est systématique et les assemblées municipales deviennent houleuses. Denys Tremblay propose une solution conciliatrice consistant à garantir cette subvention sans l'octroyer, afin de calmer le jeu. Mais la bataille est déjà trop engagée et chacun reste sur ses positions. Le ministre de la Sécurité publique du Québec, Serge Ménard, prenant en compte les dissensions locales, suspend le processus d'émission du chèque du gouvernement du Québec. Denys Ier, interviewé, répond qu'il n'interviendra pas dans le débat en cours, qui relève de la démocratie et de la municipalité. Un journaliste du *Quotidien* écrit le 14 juillet 1999 sous le titre «L'Anse-Saint-Jean freine les élans du roi Denys Ier»:

«Pas question de revenir ici sur l'opportunité de créer une monarchie à L'Anse-Saint-Jean. Le débat a suivi son cours. Tout le monde s'est exprimé là-dessus. (...) Qu'on l'aime ou qu'on la déteste la création de ce royaume a fait beaucoup jaser à travers le pays et même ailleurs. Personne (...) ne semble contester son impact positif sur l'affluence touristique. Mais les opposants veulent le meilleur des deux mondes, le beurre et l'argent du beurre. Ce faisant, non seulement ils sapent le travail effectué depuis déjà quatre ans, mais ils ferment la porte à la venue d'autres projets.»

De son côté, Denys Ier prend acte de cette situation. Il constate qu'il a été de plus en plus contré systématiquement dans toutes ses initiatives ou occasions de réunir le budget nécessaire à la réalisation du projet de Saint-Jean-du-Millénaire. Lui-même, en tant que roi, avait promis de ne jamais demander d'aide financière à la municipalité. Il a assuré personnellement toutes les dépenses de son train de vie royal et de son déménagement pendant trois ans à L'Anse-Saint-Jean. Il a, pour ce faire, emprunté à la banque. Il s'interroge sur la suite des choses et décide de faire une pause et de réagir publiquement. Le 2 août 1999, il diffuse donc une «lettre adressée aux Anjeneois» sous le titre: «Il est permis de s'arrêter, mais non d'abandonner»:

«Anjenois, Anjenoises!

«En tant que roi municipal de L'Anse-Saint-Jean, je constate qu'une bonne partie de la population a été amenée, à tort, à confondre le projet de fresque végétale et la monarchie, à confondre le but et le moyen pour y arriver. (...) À première vue, la contestation ne vise ni la monarchie, ni la fresque, mais peut-on faire mieux pour nuire aux deux projets! Il a toujours été convenu que le moyen ne coûterait rien, mais pas les projets communautaires qu'il génère. J'ose croire que cette contestation n'est alimentée que par des intérêts bassement politiques.

«Il sera dorénavant difficile de démontrer hors de tout doute aux gouvernements supérieurs et aux éventuels donateurs que la population anjennoise, dans son ensemble, soutient fortement le projet. Cette condition est pourtant essentielle à la réussite de la fresque végétale. Comment voulez-vous que je réussisse à convaincre les donateurs, alors que la population elle-même hésite à supporter le projet? Un donateur n'agit pas comme un investisseur: il aide ceux qui s'aident eux-mêmes.

«Il va de soi que je réévalue le mandat royal que pourtant 73% des gens m'ont donné lors du référendum de 1997, soit de promouvoir le projet de Saint-Jean-du-Millénaire. (...) J'ai donc pris la décision de renoncer temporairement à toute activité royale jusqu'au 21 janvier 2000.»

Un article du 2 août dans le journal *Le Quotidien* titre: «Le roi Denys Ier suspend ses activités». Le *Journal de Québec* lui consacre un article important dans son édition du 26 août 1999. La directrice du mont Édouard, Hélène Gauvreault, se plaint publiquement que les gens d'affaires sont déçus par la tournure qu'a prise l'événement: «Sur le plan régional, le projet a été bafoué.»

Mais la loi municipale de l'époque prévoit des élections partielles du conseil municipal tous les deux ans. Et lors de l'élection de novembre 1999, l'entrée de quatre opposants au projet au conseil municipal décide de la suite. Ils se font élire dans une campagne d'opposition à la subvention votée pour développer le projet de Saint-Jean-du-Millénaire et deviennent majoritaires au conseil: quatre contre trois. Le 15 novembre 1999, le nouveau conseil municipal annule le vote de la subvention à la Fondation. Certes, la mairesse mentionne que «les opposants soutiennent qu'ils n'ont rien contre le roi Denys Ier ou la monarchie», mais le refus final du conseil municipal d'investir un premier montant a pour effet l'abandon des subventions annoncées par

Le roi Denys 1er suspend ses activités

par Louis Tremblay

L'ANSE-SAINT-JEAN (LT) - Le roi de l'Anse-Saint-Jean, Denys 1er, met un terme à toutes ses activités royales jusqu'au 21 janvier 2 000 afin de permettre à ses sujets de faire le débat quant à un appui à la fresque minérale

Saint-Jean-du-Millénaire. Dans une lettre que les Anjeannois recevront dès aujourd'hui, le monarque explique sa position et surtout sa décision de mettre temporairement un terme à ses activités. Cette décision découle évidemment de tout le débat entourant la décision de la muni-

cipalité d'injecter 100 000 $ dans la réalisation de la fresque évaluée à 1 000 000 $.

«En tant que roi municipal de l'Anse-Saint-Jean, je constate qu'une bonne partie de la population a été amenée, à tort, à confondre le projet de fresque végétale et la monarchie. Il a toujours été convenu que le moyen ne coûterait rien mais pas les projets communautaires qu'il génère. J'ose croire que cette contestation populaire n'est alimentée que par des intérêts bassement politiques», écrit le roi.

Le roi estime qu'à première vue, la contestation ne vise ni la monarchie ni la fresque, mais qu'en bout de ligne, on ne peut faire mieux pour nuire au projet. Cette contestation, qui fait rage à l'Anse-Saint-Jean depuis que le conseil a adopté une résolution prévoyant le versement d'un don de 100 000 $, fera en sorte qu'il sera difficile de convaincre gouvernements et donateurs privés que la population endosse le projet.

«Cette condition est pourtant essentielle à la réussite de la fresque végétale. Comment voulez-vous que je réussisse à convaincre les donateurs alors que la population elle-même hésite à supporter le projet? Un donateur n'agit pas comme un investisseur. Il aide ceux qui s'aident eux-mêmes», poursuit le roi dans sa missive.

Ce dernier croit donc normal de procéder à une réévaluation de son mandat obtenu avec l'appui de 73 pour cent des Anjeannois lors du référendum de 1997 et qui faisait état de la promotion du projet Saint-Jean-du-Millénaire.

«Croyant que la population était derrière nous et derrière le projet, nous avons dépensé moi et ma

conjointe tout notre argent (80 000 $), et nous avons donné deux ans de notre vie à cette tâche. Nous ne pouvons faire plus. Nous avons livré la marchandise mais force est de constater que les Anjeannois n'étaient pas toujours là lorsqu'il s'agissait de soutenir nos efforts.»

C'est dans cet esprit que le roi Denys 1er a décidé de suspendre toutes ses activités royales jusqu'en janvier 2000. Il veut surtout éviter de servir de bouc émissaire aux «frustrations personnelles et collectives qui ne manqueront pas de s'exprimer pendant la campagne électorale qui est déjà commencée».

Le musée sera donc fermé pendant cette période. Denys 1er

indique qu'il sera ainsi en mesure de prendre de véritables vacances pour la première fois depuis deux ans. Ce dernier consacrait ses vacances estivales à la promotion du projet en accueillant les touristes.

«J'espère que les citoyens profiteront de mon absence pour réfléchir calmement et choisir définitivement entre la fermeture progressive de notre village ou son ouverture sur le monde. Je remets notre petite monarchie municipale et le grand projet d'oratoire végétal entre les mains de Saint-Jean-Baptiste en acceptant d'avance et avec sérénité le destin que Dieu réserve à ses deux projets distincts», termine le roi dans cette missive de deux pages.

DÉBAT - Le roi Denys 1er de l'Anse-Saint-Jean suspend temporairement ses activités royales en raison du débat qui fait rage dans la petite municipalité quant au versement d'une subvention de 100 00 $ d'appui à la réalisation du projet Saint-Jean-du-Millénaire.

Les opposants se rendront à l'hôtel de ville

L'ANSE-SAINT-JEAN (LT) - Le Comité des opposants à la subvention de 100 000 $ à la Fondation Saint-Jean-du-Millénaire maintiendra la pression sur le conseil municipal lors de la reprise des activités en séance publique ce soir.

Dans un communiqué émis en soirée hier, le coordonnateur du comité, Adrien Gagnon, indique que les 548 signataires de la pétition du mois de juillet dont le but est de freiner le conseil municipal, ont été contactés. Ces derniers sont invités à assister à la séance de ce soir.

Le conseil municipal de l'Anse-

Saint-Jean a adopté résolution en juin dernier. Cette résolution prévoit le versement d'une subvention de 100 000 $ à la Fondation Saint-Jean-du-Millénaire même le remboursement par le gouvernement du Québec des frais d'intérêts engagés par la municipalité pour réaliser les travaux de reconstruction au lendemain du déluge de juillet 1996.

Selon Adrien Gagnon, les membres du comité vont interroger le conseil municipal au cours de cette séance. L'objectif des opposants est d'obtenir une nouvelle proposition qui pourrait rencontrer les attentes de la population.

les deux paliers de gouvernement, le Bureau du Canada pour le millénaire et le ministère de la Sécurité publique du Québec. La Fondation devant être capable de recueillir les deux tiers du coût du projet de Saint-Jean-du-Millénaire, celui-ci est donc bloqué. La défiance que le nouveau conseil municipal affiche ainsi envers le projet, condamne définitivement toute possibilité de soutien extérieur. Et finalement la subvention de Québec est perdue.

Denys Ier sait qu'il ne pourra pas aller plus loin. Entre-temps, il a dû assumer les deuils successifs de son père, de sa mère et de l'un de ses frères. Le 14 janvier 2000, en présence d'une quinzaine de personnes, le roi abdique élégamment en «offrant son pardon à ses détracteurs», notamment à «ceux qui savaient ce qu'ils faisaient». Les entreprises locales regrettent publiquement l'abdication et le départ de celui qui avait mis le petit village de L'Anse-Saint-Jean sur la carte internationale, attirant ainsi de nombreux touristes. Et c'est «un roi déçu, mais non déchu» qui part en exil intérieur. Par son abdication institutionnellement et officiellement organisée, il confirme la pleine réalité de son état royal et son refus de toute esquive ou prolongation imaginaire dans l'artistique ou le fantasme. Il enracine sa démarche dans la réalité,

où il n'y a pas d'échappatoire possible. Et il ajoute, dans une conversation privée en 2008:

«J'ai abdiqué, comme le Parti Québécois aurait dû le faire au lendemain de l'échec du premier référendum. Nous serions souverains aujourd'hui.»

Dans un entretien avec Alain Bouchard, publié dans le journal *Le Soleil* du 29 mars 2004, Denys Tremblay se livre à un autre commentaire plus personnel:

«Je suis déçu que la fresque n'ait pas été réalisée. Je suis un roi déçu qui s'est échoué sur les limites de l'imagination populaire. Mais pas un roi déchu qui a échoué! Il y avait une seule faiblesse dans mon projet: un conseil municipal de L'Anse-Saint-Jean nouvellement élu et qui a eu peur des dimensions que prenait l'aventure.»

Denys Tremblay aime à rappeler que «l'Art avait régné sur un petit territoire canadien pendant trois années consécutives». (MMASJ, 8)

---

1. *Journal* Le Quotidien *du 2 août 1999*

La bataille du réel
et de l'imaginaire

Saint Jean-Baptiste a-t-il finalement abandonné Denys Tremblay? Rien n'est moins sûr. L'avenir continue. Certes, quoi qu'ait pu en dire Denys Ier dans sa «lettre adressée aux Anjeneois», l'abdication était devenue inévitable. Car c'est pour trouver le financement de la fresque Saint-Jean-du-Millénaire que la monarchie avait été créée. Et l'échec orchestré de ce financement ne pouvait que remettre en cause la popularité de la monarchie elle-même. Le sort des deux était inexorablement lié pour le meilleur et pour le pire. On peut aujourd'hui tenter d'imaginer quelle aurait été l'évolution durable de la monarchie si cet oratoire végétal avait été réalisé et avait suscité le succès touristique que l'on en attendait légitimement. La question est autant plus intéressante que le projet demeure remarquablement pertinent et que son budget, relativement modeste aurait pu être facilement obtenu si des manœuvres secrètes n'y avaient pas fait obstruction. La monarchie de L'Anse-Saint-Jean, que Denys Tremblay ne voulait manifestement pas réduire à un rôle de mascotte politique, et au nom de laquelle il s'était dès son couronnement exprimé politiquement sur des sujets aussi sensibles que la question autochtone et la constitution canadienne, aurait sans doute embarrassé de plus en plus les deux paliers de gouvernement. La chronique en serait sans doute devenue surréaliste. Et Denys Tremblay, comme il me l'a confié, savait bien que la monarchie créerait rapidement de vives résistances. Lui-même note que, dès son couronnement, «les hostilités sont secrètement engagées contre cette innovante monarchie, définitivement dérangeante pour trop de monde. Au-delà de la municipalité de L'Anse-Saint-Jean, divers pouvoirs en place s'inquiètent de ce trop éclatant "coup d'état d'esprit périphérique". Aux yeux de certains, tout doit être fait pour nuire à ce roi-artiste qui mélange les postures. Les manipulateurs d'opinion fourbissent leurs armes et se mettent en branle. Le projet Saint-Jean-du-Millénaire est de ce fait lui-même contesté.

«On n'a pas hésité à lancer la rumeur d'un vice de fabrication des Brasseurs de l'Anse, afin de faire peur à toute entreprise potentiellement intéressée à collaborer. On ne rate pas une occasion de se moquer de toute personne qui montre de l'intérêt pour un titre de noblesse, histoire d'éloigner tout supporteur important. Le plan sournois peut se résumer ainsi: dénigrer l'entreprise artistique et royale dans la région, réduire son impact national et international au maximum, isoler l'artiste-roi de sa population, et manipuler les élections municipales de L'Anse-Saint-Jean.» (C, 19. 12. 08)

On comprend dès lors que les manœuvres secrètes et la manipulation de l'opinion publique anjeanneoise ne visait pas tant le projet Saint-Jean-du-Millénaire que la monarchie elle-même.

Mais le moyen le plus efficace d'en venir à bout était bien évidemment l'échec financier du projet et une polémique sur les taxes locales. La recette est connue et elle a prouvé une fois de plus son efficacité. Denys Tremblay le souligne lui-même :

« C'est exactement ce qui est arrivé en 1999 lors de la contestation de la subvention à la Fondation Saint-Jean-du-Millénaire. Les comités "ont choisi" de refuser de différencier le projet et le roi et, comme la monarchie devait ne rien coûter à la municipalité, ils ont fait le nécessaire pour stopper le projet. Ce faisant, ils stoppaient la monarchie elle-même. Les manipulateurs le savaient parfaitement, alors que la majorité des gens qui s'opposaient à la subvention ne s'opposaient pas au roi et au projet. D'ailleurs, cette confusion langagière est au cœur du débat identitaire québécois. La majorité des souverainistes veulent une souveraineté-association avec le Canada et la majorité des fédéralistes veulent un fédéralisme renouvelé (asymétrique) à l'avantage du Québec. Les deux solutions sont très semblables. La manipulation politique consiste à présenter chacune de ces solutions très similaires en dangereuses ouvertures à l'autre option. Si l'on devait choisir entre ces deux options politiques très semblables, nous aurions une réelle décision collective de la majorité des Québécois. » (C, 28.12.08)

Le Québec et le Canada tolèrent beaucoup, que ce soit au point de vue religieux et multiculturel, quant à l'orientation sexuelle ou à la liberté d'avortement. Pourquoi est-on devenu si intolérant face à l'artiste Denys Tremblay et à sa démarche ? Il est clair qu'un long bras invisible a télécommandé les campagnes médiatiques de dénigrement, notamment à la radio. Le même, sans doute, est passé systématiquement derrière le rideau lors de chaque projet de subvention ou d'événement publique important et rémunérateur, pour intimider les interlocuteurs de Denys Tremblay et les dissuader de donner suite à leurs promesses financières. Je ne tenterai certainement pas de jouer au journaliste d'enquête politique, ni d'écrire un roman policier. Mais force est de se demander de qui est venue cette volonté si efficace de s'opposer à Denys Tremblay, porteur d'un projet prometteur et bien engagé. Qui a délégué cet acteur discret, mais disposant d'un pouvoir évident de persuasion, aussi bien face à des ministères, à des institutions et à de grandes corporations, qu'à des personnalités si diverses et géographiquement si dispersées ? Bien sûr, les conseillers politiques d'un gouvernement, celui de Québec ou celui d'Ottawa pouvaient avoir une telle efficacité. Mais ils ne se sont opposés ni directement ni publiquement au projet monarchiste de Denys Tremblay, même si l'aspect politique pouvait les intriguer et susciter quelque méfiance. Après tout, l'action de Denys Tremblay, aussi médiatisée qu'elle ait pu être, demeurait très locale. Quelle autre puissance suspecter, quel autre monarque jaloux et puissant financier mettre en cause? Je ne m'aventurerai pas plus loin, car là n'est pas vraiment l'enjeu. Je soulignerai seulement que la divergence crée généralement de l'intolérance, voire de la peur, au niveau le plus élevé comme au plus ordinaire. Et Denys Tremblay était assez lucide pour savoir que sa monarchie ne pourrait durer éternellement, ni être imitée par d'autres municipalités. Ce projet avait une valeur pérenne du point de vue artistique et un but temporaire à atteindre, celui de la réalisation de la fresque végétale de Saint-Jean-du-Millénaire. L'euphorie du couronnement ne lui dissimula jamais les inquiétudes prémonitoires qu'il avait déjà en s'arrêtant devant le Cap Trinité au matin du 24 juin 1997. Il savait que toute entreprise humaine hasardeuse peut finir mal. Et en effet, comme il le reconnaît lui-même:

«Après cette abdication, il faut bien admettre que le cœur n'y était plus. J'étais abattu, épuisé, ruiné et... malade. En six mois je venais de vivre trois deuils successifs et les Anjeannois m'avaient fait faux bond d'une manière déloyale. Je venais de découvrir le prix véritable de la liberté de l'art et de l'artiste.» (RAS, 2000)

Dans une lettre du 22 août 2000 au critique d'art Pierre Restany, Denys Tremblay explique sa situation:

«Évidemment, ce passage du virtuel au "ver-tuel" a réveillé tous les décideurs du contexte de l'Art et de la Vie, qui vivent justement du statu quo entre l'idéal artistique et le réel économique. Aussi, les gouvernements canadien et québécois n'ont pas apprécié cette monarchie, même municipale, plus souveraine et démocratique que le rêve républicain québécois, ou les intérêts du système parlementaire canado-britannique. Ils ont donc manipulé l'opinion publique et les élections municipales de manière à miner ma légitimité référendaire pourtant fortement majoritaire. L'Église a rappelé son curé dont la foi était décidément trop sociale et communautaire. On m'a ruiné financièrement et j'ai décidé d'abdiquer avant qu'il ne soit trop tard pour ma sécurité personnelle et professionnelle et celle de ma famille.

«La liberté a un prix et il arrive trop souvent que l'on paie de sa vie et de son art une souveraineté personnelle face aux idéologies des pouvoirs de toutes sortes.»

Aurait-il fallu choisir entre la politique et l'art? Cela aurait peut-être sauvé la fresque, et même aussi la monarchie. Les Anjeneois ne l'ont pas fait. Les deux gouvernements non plus. Mais ce n'était pas davantage l'option de Denys Tremblay lui-même. Le personnage de l'Illustre Inconnu était devenu un véritable roi «apparemment imaginaire, mais plus vrai que vrai». Et cette situation politique bien réelle l'intéressait tout autant que le projet Saint-Jean-du-Millénaire. Il poursuivait simultanément deux œuvres d'art étroitement dépendantes l'une de l'autre et toutes deux inscrites dans l'intensité sociologique, économique et politique de son art. Cela avait toujours été son choix. Dès ses œuvres de jeunesse, son engagement était aussi évident dans ses choix thématiques que dans son parti pris esthétique. Rebelle déclaré dans le contexte politique de l'époque, il usait à dessein d'un style kitsch et grinçant.

Québec octobre 1970 (T, 151) évoque la crise d'octobre. D'un labyrinthe nous parvient une plainte, qui à l'intérieur se transforme en bande sonore des bulletins radio d'information de l'époque sur la Loi des mesures de guerre. On y découvre un squelette sur un drapeau canadien, vomissant du sang sur l'unifolié canadien. Il en résultait «un choc visuel intenable et une réaction spontanée de dégoût». Denys Tremblay lui-même jugea que tout compte fait la violence de l'œuvre servait mal la cause. Le critique d'art Laurent Lamy note: «Denys Tremblay a voulu exprimer le désarroi ressenti face au viol des libertés individuelles. (...) Pour Denys Tremblay, l'art doit être conscientisation.» (*Vie des Arts*, hiver 1978-1979, n° 93, p. 45).

Le saloon (sic) funéraire (1971) est la version déclinée de l'installation précédente, avec moins de violence au premier degré et plus d'humour. L'œuvre imite les salons funéraires habituels, avec bouquets de fausses fleurs, mais y ajoute un juke-box de chansons lugubres et une pleureuse automatique (avec une fente pour mettre la pièce et démarrer une bande-son). Cette installation, abondamment commentée dans les médias, a été montrée en divers lieux malgré le refus de Québec d'en subventionner la circulation. Laurent Lamy note encore: «Dans un contexte quasi plus réel que le vrai, les objets dénués de toute qualité esthétique, présentés de façon neutre, participent à une satire mordante de nos mœurs mortuaires.»

Obsession Beach (1975) est encore une œuvre politiquement contestataire et à tonalité morbide. Elle est inspirée par la chute du gouvernement Allende au Chili et la répression qui suivit. Cette installation joue sur la confrontation de deux environnements, l'un évoquant les vacances au bord de la mer, et l'autre montrant dans la pénombre six corps pendus par les pieds. La bande-son, basée sur le bruit de la mer, ressemble en fait aux protestations d'une foule. Et Laurent Lamy, qui décidément a vu juste quant aux orientations profondes de l'artiste, écrit: «La mise en rapport antithétique de ces deux groupes s'oppose à l'art esthétisant qui occulte le problème de notre société.»

Denys Tremblay passe ensuite à une critique virulente de la société de consommation. *Cylindre de consommation* (1976) se présente comme un grand kiosque d'information en toile multicolore invitant à consommer... et à découvrir simultanément l'endettement. En y entrant, on se heurte à des bandes élastiques d'abord molles, puis de plus en plus serrées et tendues, dont on a du mal à se sortir. Les haut-parleurs braillent des messages publicitaires et évoquent les intérêts à payer pour avoir trop dépensé. L'artiste a prévu à la sortie la distribution d'une brochure consacrée aux «joies de l'endettement». Il faut dire que l'installation de l'oeuvre fut finalement refusée à Denys Tremblay par l'Office de la protection du consommateur du Québec.

Il reprend le thème de la surconsommation avec *Le salon de l'automobile énergétique* (1979). Il y vante en fait les vertus de l'effort physique et les tares de la civilisation de l'automobile. Un seul de ces véhicules, intitulé *Formule 1*, témoigne encore de ce projet qui n'a pas pu être complété. Le véhicule est constitué d'une chaise roulante propulsée par une bicyclette et surchargée d'accessoires inutiles. (Il est maintenant dans les collections permanentes du Musée de la Pulperie.) Denys Tremblay avait prévu aussi d'offrir des polaroïds des visiteurs sur ce véhicule, qui seraient encadrés à bon marché, avec cette légende provocante: «Ah oui! Sacrement... Tout s'écroule. Les écoles de pensée meurent dans le maniérisme, la surcharge et le trompe-l'œil.»

L'ère du toc, l'installation suivante, est pleinement réalisée de 1977 à 1980. Le thème en est l'omniprésence triomphante des matériaux d'imitation et la contrefaçon. Présentée en 1982,

elle clôt ce que Denys Tremblay appelle «une série de sculptures environnementales contextuelles et événementielles», mais qu'on pourrait plus explicitement désigner comme une série d'installations d'art politique délibérément contestataires et dénonciatrices. On ne saurait donc douter que Denys Tremblay a été depuis toujours un artiste politiquement engagé et que dans ses démarches suivantes, que ce soit celles de l'Illustre Inconnu ou celles du roi de L'Anse, il ne s'est aucunement départi de cette préoccupation politique, même s'il a décidé de l'incarner dans la réalité sociologique et de la rendre socialement acceptable.

Il a seulement changé de dispositif et de tactique, comme il le rappelle, se référant aux théories de Mario Perniola sur l'opposition entre le monde idéal de l'art et le monde politique réel: «Je ne voulais plus être un artiste subversif dans l'univers protégé et confortable de l'idéal artistique mais dans l'univers dangereux et excitant de la vie.» (C, 21. 12. 09) Denys Tremblay met donc en œuvre une théorie des rapports entre l'imaginaire et le réel qu'il a progressivement élaborée, à la suite de son insatisfaction par rapport à ses premières démarches. Il veut agir désormais comme artiste au sein de la société et non pas seulement dans le cadre protégé et

1. La Formule 1, *chaise roulante dragster poussée par une bicyclette de course.*

1

isolé de la galerie d'art. Et au-delà des points de vue théoriques de Perniola, qui l'ont séduit mais qui sont à coup sûr trop schématiques et finalement irréels à force de vouloir être critiques et dénonciateurs, il ne peut manquer de découvrir dans sa pratique d'artiste que la réalité n'est pas binaire. Elle est tissée autant d'imaginaire et même d'idéalité que de réalité. Il en explorera donc les rapports multiples, qu'ils soient de simple opposition, d'apparente inversion, de dissimulation ou de compensation. La réalité est feuilletée, complexe. Il en perçoit donc la dynamique, voire la dialectique, qui peut aboutir tout aussi bien à la création qu'à la destruction et à la mort. Et c'est dans cet espace éminemment ambigu, tantôt conflictuel, dramatique ou même tragique, tantôt ludique ou même euphorique, qu'il tentera de situer ses interventions d'artiste. Ce sera un baptême du feu et il ne pourra manquer de s'y brûler les ailes, comme il le note avec douleur, évoquant «la mise à mort du roi par son peuple». La marge d'action entre l'imaginaire et le réel est en effet étroite, mouvante, voire volatile. Cet espace de jeu artistique où il s'engage est entrecroisé de courants chauds et froids, accueillants ou hostiles, politiques, économiques, humains, compétitifs, peureux, rigides ou permissifs. L'équilibre de l'écosystème humain est si instable et si nerveux qu'il sait qu'il ne pourra compter s'y maintenir longtemps, quels que soient ses talents d'artiste, de funambule social, de déchiffreur sociologique, ou la puissance de sa stature. Tous les hommes politiques le savent à leurs dépens. L'artiste qui s'y expose risque d'être trop naïf, une victime sacrifiée. Et c'est sans compter les paramètres extérieurs d'échelle macrosociale qui ne manqueront pas de secouer le microcontexte où il tente d'évoluer. Il le découvre inévitablement lui-même, à prix fort:

«Nous nageons entre le plus vrai que vrai ou l'apparemment imaginaire, un espace de travail entre la réalité et sa représentation, un espace de choix entre les "J'aurais donc dû y être" et les "Tant qu'à y être". C'est un espace difficile où les illustres inconnus, les monarchies démocratiques, les catholicités millénaristes, les épées pacifiques à deux manches peuvent exister et coexister vraiment et artistiquement tout à la fois. Avec la monarchie anjeannoise, de nouvelles fonctions de l'art et de l'artiste ont été expérimentées à la limite de nouveaux possibles. De nouvelles libertés ont été prises par l'art sur le réel. L'ultime frontière, la condition séparée de l'art et de la vie, a été franchie ici de manière majestueuse.» (RAS, 4)

Ce va-et-vient entre l'imaginaire et le réel va le fasciner. Cela explique aussi son intérêt pour la maison peinte d'Arthur Villeneuve, «un artiste ayant une démarche mentale hybride, ambivalente, issue d'une dichotomie ou le réel et l'imaginaire fusionnent, s'intègrent». (TR, 10)

Dans une sorte de liberté ou d'euphorie conceptuelle inspirée par l'expérience de l'Illustre Inconnu, extrêmement audacieuse mais finalement heureuse et couronnée de succès, il va souhaiter aller encore plus loin dans la fusion de l'imaginaire et du réel, jusqu'à son couronnement bien réel comme roi. Il va passer, avec la monarchie municipale, du simulacre métaphorique à la réalisation métonymique : « Le rapport entre l'imaginaire et le réel de la vie ne serait plus métaphorique, mais métonymique », non plus imagé, mais réel comme une partie du tout, comme un microphénomène social qui prendra sens pour la totalité de la société. Il va si loin qu'il s'éloigne même inévitablement du milieu artistique. Et les artistes le lui feront sentir :

« Je crois pouvoir affirmer que les difficultés les plus grandes sont venues des artistes eux-mêmes, sans doute parce qu'il leur était plus difficile de dépasser le stade du narcissisme individuel et de croire à la véracité de la représentation de l'I. I. Vous savez, le mythe de l'artiste maudit, génial, isolé du monde extérieur et aspirant à la postérité est encore tenace de nos jours. Pas surprenant dès lors de constater une résistance des étudiants du module des arts de l'université à organiser dans la dignité la réception de l'I.I. ; peut-être y voyaient-ils une atteinte à leurs privilèges exclusifs de faire de l'art en toute immunité sociale. (…) Finalement, les choses se sont assez bien terminées, mais, plus j'y pense, plus je réalise que cette étape du voyage fut plus difficile à organiser que la négociation avec le conseil de ville. » (Entretien avec Anne-Marie Dion, LDB, 166).

Lorsqu'il sera revenu dans les limites de la réalité, bien que marqué par le traumatisme de son abdication, il prendra pleinement conscience de la valeur théorique et humaine de son expérience. Il notera, parlant de lui-même : « Tremblay rédige un livre, *Le Roi du Fou ou là où l'art règne* (titre provisoire), mettant en évidence la dimension artistique de sa monarchie en la présentant comme un acte fondateur d'une nouvelle relation sociale de l'art. » (RCADT, 2)

En fait, ce livre, qui aurait sans doute plus insisté sur les difficultés de son expérience que sur sa valeur artistique, il l'a déjà écrit dans les années 1983 à 1985, à Paris, d'un point de vue théorique audacieux, lorsqu'il a rédigé sa thèse de doctorat. Et il en a puisé les idées dans sa démarche d'initiateur du Symposium international de sculpture environnementale de Chicoutimi en 1980.

Après les installations provocatrices de sa jeunesse, il avait fait le bilan et choisi d'adopter désormais un autre registre, tout aussi sociologique, mais moins muséographique. En 1980, avec *Ça sympose*, Denys Tremblay décide en effet d'intervenir au sein du système social, plutôt que de le critiquer *du dehors*, en restant *à l'intérieur* de

1. «*Ça sympose*», *thème du Symposium international de sculpture environnementale de Chicoutimi de 1980*

l'institution artistique. Il opte pour l'organisation d'un important Symposium international de sculpture environnementale à Chicoutimi, sa ville natale, qui compte quelque 60 000 habitants. Elle est très active du point de vue économique et universitaire, et constitue une sorte de cœur historique du Saguenay–Lac-Saint-Jean. Il choisit donc de «troquer son statut social d'artiste pour mieux faire de l'art». (T, 157) Le projet et son financement «entremêlent adroitement, comme il le souligne, les objectifs économiques, touristiques, culturels et pédagogiques. La stratégie de financement va récupérer à son compte les mécanismes gouvernementaux de subvention, particulièrement ouverts lors d'une fin de mandat électoral et pendant une campagne référendaire». (T, 158-159). L'utilisation pour l'événement du vaste site de l'ancienne pulperie

intéresse de nombreux partenaires gouvernementaux et municipaux. Il réunira ainsi près d'un million de dollars de subventions. Et le Symposium, ajoute-t-il, «m'a permis d'élaborer pour la première fois à cette échelle, un dispositif permettant de lier l'Art et la Vie (dans ce cas-ci régionale). Mon intérêt personnel n'était pas tant de réaliser un événement important pour l'histoire de l'art québécois ou canadien ou international (il l'est devenu depuis, mais j'en ai enterré définitivement et réellement la dimension "métropolitaine" après sa mort symbolique au centre Pompidou, déclarée par un mythanalyste chevronné) que de le réaliser en "périphérie" avec un point de vue "périphérique"». (C, 20. 09. 08).

Denys Tremblay et son équipe invitent de nombreux artistes québécois et plusieurs artistes internationalement connus, Klaus Rinke, Piotr Kowalski, Zofia Butrimovick, Tony Long et Hervé Fischer, pour y réaliser des sculptures environnementales et y animer des ateliers avec des étudiants. Le programme comprend aussi un colloque qui fera date (comme tout l'événement lui-même) et un festival de performances, dont il confie la direction à Richard Martel, un important artiste et responsable du groupe Intervention à Québec. L'Université du Québec à Chicoutimi est directement impliquée comme partenaire financier et pédagogique, et des stages rémunérés sont proposés aux étudiants. J'ai bien connu ce Symposium, y ayant organisé un «Atelier citoyens-sculpteurs», avec une trentaine d'étudiants, tant français que québécois. Le Symposium de Chicoutimi marque donc un tournant dans l'œuvre de Denys Tremblay, qui concrétise ainsi sa volonté de passer de la contestation artistique dans le micromilieu à une inscription au sein du tissu social réel. Il réussit ainsi à impliquer la population de Chicoutimi dans une démarche tout à la fois économique, institutionnelle, environnementale et artistique, qui annonce les interventions à venir de l'Illustre Inconnu, puis du roi de l'Anse:

«Les œuvres environnementales ou événementielles étaient mises en scène pour produire une ˮméta-œuvreˮ dont les conséquences bien réelles furent multiples: affirmation de la vocation artistique du site de la Pulperie, affirmation de la vocation artistique du Saguenay–Lac-Saint-Jean, etc., et surtout, une première et solennelle révocation de la soumission culturelle régionale traditionnelle. C'était donc un premier *really-made* avant la lettre, du doctorat que je ferais plus tard.» (C, 20. 09. 08).

C'est en effet lors de son travail de thèse, en analysant la démarche de Marcel Duchamp, l'inventeur du ready-made, que Denys Tremblay se positionne, reprend et dépasse le concept de Duchamp en imposant son propre concept: le *really-made*. En fait, le *really-made* de Tremblay est le contraire du ready-made de Duchamp. Denys Tremblay se différencie clairement de Marcel Duchamp:

«Son œuvre aura permis de percevoir le contexte de l'art comme déterminant, puisque c'est ce contexte qui a, en définitive, le pouvoir de rendre visible et de légitimer ses ready-made. (...) Tout ce que nous allons dire ici aurait été inutile si nous n'avions pas expérimenté exactement la proposition inverse: un acte d'art est introduit dans le contexte quotidien de la vie et les spectateurs devenus acteurs sont invités à assumer une manifestation artistique comme vie. Cela positionne le contexte de la vie comme condition de visibilité et, en dernière analyse, comme pouvoir de légitimation.» (conférence de l'Illustre Inconnu à l'Espace Virtuel, Chicoutimi. LDB, 142).

Marcel Duchamp – alias M. Mutt – initiait «la généralisation de l'esthétique» avec le ready-made. Et il ajoutait: «Que M. Mutt ait fabriqué la fontaine (l'urinoir) de ses propres mains ou non est sans importance – il l'a choisie (...). Il a créé une pensée nouvelle pour cet objet». (*The Richard Mutt Case*, New York, 1917) Denys Tremblay est un anti-Marcel Duchamp. En renversant la notion du champienne de ready-made en *really-made*, il affirme l'exigence de s'engager dans la réalité sociale. À l'opposé de l'attitude introvertie

CABINET DES AISANCES PROTOCOLAIRES

de Marcel Duchamp, dont la grisaille et l'ennui muséographique tournent souvent à la morbidité, l'œuvre de Denys Tremblay manifeste une énergie vitale, colorée et théâtrale. Il fait la distinction entre les *really-made* malheureux, ceux qui ont échoué, et les *really-made* heureux, dont la réussite a permis, par exemple, la conservation des sculptures du Symposium de Chicoutimi, ou de la maison d'Arthur Villeneuve. Loin d'être mortifère, comme la vision de Marcel Duchamp, qui a finalement conduit l'idéologie avant-gardiste de l'art à sa propre fin, le rapprochement tremblaysien de l'Art et de la Vie fait éclater les limites du champ de l'art.

Marcel Duchamp s'est isolé, réfugié frileusement dans un orgueil blessé, cessant presque de produire, mettant ses œuvres dans des boîtes de musées. Dans *Étant donné* (1946 – 1968), Marcel Duchamp ferme la porte qui protège l'œuvre et qui ne présente ni serrure ni poignée. Il faut découvrir que deux clous dans le bois de la porte peuvent s'enlever, pour apercevoir par ces trous de clou une femme nue, étendue, les cuisses ouvertes, extrêmement ambiguë. Cet arti-

fice ingénieux de Duchamp fait de nous des voyeurs, qui croyons apercevoir quelque chose de réel et non une représentation : nous sommes dans un processus quasi photographique. Pourtant, c'est un fantasme intime que nous découvrons en transgressant un interdit, une scène scabreuse, inavouable, qui nous éloigne du principe de réalité. Tout à l'opposé, le *really-made* tremblaysien est « une inversion du regard », qui permet de transgresser les limites imaginaires de l'art pour entrer dans la réalité.

Commentant la signature duchampienne de l'urinoir *muté* en œuvre d'art, Denys Tremblay souligne que c'est accorder un grand pouvoir à l'artiste que de le laisser décider de ce qui est de l'art. Et il ajoute que, de toute façon, le système idéologique et commercial de l'art sera capable de tout récupérer, comme on l'a vu par la suite. Finalement, c'est l'institution artistique qui décide de ce qui est de l'art ou non, qui légitime ou non tel artiste, et qui refuse par exemple de cautionner les démarches artistiques trop réalistes. D'ailleurs, ce n'est pas sans une parodie doublement audacieuse que Denys Tremblay s'amuse à inverser l'idée de Marcel Duchamp d'avoir érigé en « fontaine » un urinoir, et qu'il propose à son tour rien de moins que le siège de toilette, en inventant le rôle du « chef de Cabinet des aisances protocolaires » dont aura besoin l'Illustre Inconnu pour préparer ses sorties sous-officielles… rôle qu'il assu-

1. Plaquette d'identification du Cabinet
   des aisances protocolaires
2. Monnaie périphérique au nom de
   Constant Nieuwenhuys de l'Internationale
   situationniste

mera lui-même! (LDB, 83).

Denys Tremblay est-il un artiste de l'école réaliste? Sans aucun doute. Et c'est un paradoxe pour un artiste qui fait preuve de l'imagination la plus libre et la plus inattendue. L'Illustre Inconnu aime réinventer la réalité, même la plus administrative et la plus réductrice. Ainsi se prépare-t-il à «décréter sous-officiellement»:

«une Ordonnance périphérique d'importance votée par les États Généraux et la Basse Autorité stipulant le fameux décret de la Triade inconomique permettant:

1. La création de la Banque Muniverselle adhérant au Fond Monayable imaginatif (F.M.I.)
2. La reconnaissance de New Babylon comme la métropole inconomique et siège de la pre-

mière succursale de la Banque Muniverselle

3. La création d'une unité de valeur nominale et imaginative désignée NIEUWENHUYS, cotée en Bourse des Valeurs tenaces aux taux fluctuants de l'imagination muniverselle». (LDB, 90)

On notera que l'Illustre Inconnu imaginait déjà une monnaie «muniverselle» avant même de concevoir les «De L'Art» de la monarchie.

Mais, aussi inventive soit-elle, et même précisément pour cette raison, la mise en œuvre de ces idées exige une stratégie réaliste, inverse de celle de Duchamp, mais plus complexe. Il est étonnant, en effet, de constater avec quelle facilité les représentants des pouvoirs institués, ceux du conseil d'administration de l'université de

Chicoutimi, en particulier le recteur, ceux de plusieurs conseils municipaux et maires (de Chicoutimi, de L'Anse-Saint-Jean, de Hull, notamment), ou ceux de Commissions publiques gouvernementales, ont accepté de se couler dans le dispositif proposé par l'Illustre Inconnu, puis par le roi de l'Anse, et d'en respecter les exigences protocolaires, voire d'en simuler de nouvelles. Ils se reconnaissaient statutairement dans les apparences théâtrales du pouvoir mises en oeuvre par Denys Tremblay. Toute autorité, même municipale, universitaire ou gouvernementale, joue volontiers le jeu du pouvoir, fût-il monarchique. Il semble que ce soit inscrit dans sa nature! L'artiste prend donc le pouvoir à son piège spontané et utilise la théâtralité comme «déclencheur et prétexte à des solutions culturelles concrètes». (T, 2ᵉ partie, VI) Il joue sur les mécanismes de la théâtralité comme un dramaturge professionnel. Lorsque je lui demande s'il n'y a pas une sorte de grandiloquence dans le fait de jouer de l'uniforme et de la couronne, de se faire élire comme roi et de se comporter comme tel, avec tous les insignes requis, même en usant d'autodérision, lorsque j'insiste sur le fait qu'il tient au sérieux de ses attitudes et qu'il résiste aux interprétations caricaturales, il répond:

«Dans ma conception du *really-made* qui veut résoudre la division fondamentale Art-Vie, il y a des lieux ou des moments plus propices que d'autres à cette fusion. Le lieu ou le moment d'une visite officielle régie par un protocole officiel ou diplomatique en est un. C'est déjà une sorte de théâtre réel qui partage avec le théâtre artistique ses séparateurs habituels (la scène, les acteurs, les costumes, les rôles définis, le scénario, etc.) sans la séparation acteurs-spectateurs. L'auditoire ou le public joue son vrai rôle, croyant et jouant vraiment la mise en scène proposée. En jouant ou déjouant l'Illustre Inconnu, j'ai graduellement expérimenté cet espace "neutre" entre les concepts de réalité et de théâtre. C'est un espace où le réel de la Vie peut être "plus vrai que vrai" et où le théâtre de l'Art peut être "apparemment imaginaire" (à moins que ce soit l'inverse) d'où la création "d'une mise en scène esthétique méthodique" régie notamment par un protocole "sous-officiel", fusion du protocole officiel et diplomatique, qui inverse ou détourne les rôles et les hiérarchies. La responsabilité de l'œuvre existentielle et artistique est constamment partagée entre l'artiste (ses lisibles intentions) et les expérimentateurs (les risibles inventions) qui n'arrivent plus à se distinguer les uns de l'autre. J'utilise le spectaculaire existentiel comme un espace pouvant éventuellement "neutraliser" cette séparation si funeste pour les dadaïstes ou les surréalistes qui n'ont fait, en définitive, que des œuvres d'Art alors qu'ils ont voulu faire des œuvres de Vie. Il n'y a pas vraiment de différence entre la mise en scène de l'Illustre Inconnu ou du roi de l'Anse, sauf que l'on aborde pour le roi le "stratagème de sang froid" du côté de la réalité plutôt que du côté de l'art, comme c'était le cas avec l'Illustre Inconnu. Les quatorze années de l'Illustre Inconnu sont donc un passage de l'un à l'autre côté de la même médaille.» (C, 4. 05. 08)

Il aboutit ainsi à ce résultat étonnant que nous sommes finalement tous piégés. Le problème est que cela exige que lui-même le soit aussi, avec toutes les conséquences, heureuses et douloureuses, que cela a pu impliquer pour lui. Car, pour y parvenir, Denys Tremblay doit revêtir le costume de son jeu et se transformer, pour ainsi dire, en œuvre d'art réelle. Jean-Pierre Vidal le décrypte avec finesse:

«Son triomphe réside précisément en ceci que toute institution ne peut le saisir qu'en figue ou en raisin, en lard ou en cochon, en artiste ou en farce. Les journalistes les mieux intentionnés ne sauront dire que l'un ou l'autre, Denys Tremblay ou l'autre, l'Illustre Inconnu. Alors (...) Denys Tremblay et l'Illustre Inconnu sont toujours dès l'abord inséparables, occupés à s'annuler mutuellement, généreux, gémeaux, génies gênants, germinalement gerbés.» (LDB, 197)

Acteur en roi, il doit, pour tenir le rôle, le devenir. Il insiste:

«Peut-on l'être sans se projeter roi, sans une motivation profonde? Roi réel ou roi fictif? Ceux

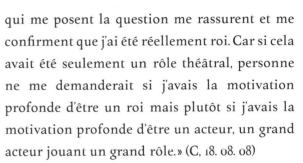

qui me posent la question me rassurent et me confirment que j'ai été réellement roi. Car si cela avait été seulement un rôle théâtral, personne ne me demanderait si j'avais la motivation profonde d'être un roi mais plutôt si j'avais la motivation profonde d'être un acteur, un grand acteur jouant un grand rôle.» (C, 18. 08. 08)

Voyons le détail des pièges de ses *illustres really-made*. Il joue sur la mise en scène théâtrale autant que sur le langage. Il s'astreint tout d'abord à mettre en place pour chaque acte et pour chaque occasion un simulacre spécifique, aussi grandiloquent que dérisoire, des institutions officielles avec lesquelles il fait acte protocolaire. Il y fait reconnaître ainsi sur le ton de l'humour sa propre grandeur et existence, mais il ne manque pas non plus, par le fait même, de soumettre celles-ci à un questionnement critique de leur légitimité, qui les déstabilise et les rend vulnérables. Par cet excès de formalisme protocolaire, il se crédibilise lui-même, tout en décrédibilisant le sérieux affiché des institutions.

Il n'est pas moins efficace sur le plan du langage, extrêmement rigoureux. Denys Tremblay crée ce qu'on a appelé parfois un «langage-univers», en ce sens que ses mots, et notamment les titres qu'il s'invente ou qu'il obtient par un vote démocratique, ont non seulement un puissant pouvoir évocateur, mais en quelque sorte font autorité. Ils font naître un univers, celui de l'artiste, dans lequel ses interlocuteurs sont aspirés. Usant de textes nombreux et méticuleusement précis, il formule chacun de ses gestes, chacune de ses déclarations, chaque élément de son récit d'une façon si élaborée et inventive, si déterminante de l'interprétation du réel qu'il côtoie et qu'il induit, qu'il est difficile pour un autre que lui-même de les raconter et de les interpréter par la suite sans le parodier. Il use donc d'une rhétorique, à la fois sérieuse et ironique, capable de séduire et d'impressionner ses interlocuteurs, mais aussi de les contraindre. Il y ajoute les remises de décorations qui ne manquent pas de flatter autant l'humour que la vanité des protagonistes (tous les chefs d'État le savent bien). C'est donc de l'accueil officiel, selon un protocole inventé et imposé par lui-même à ceux qui le reçoivent, que Denys Tremblay tire pas à pas, parole après parole, réponse après réponse, geste après geste, sa grandeur et sa légitimité. Et cette dialectique habile, mêlant son

art et la réalité des interlocuteurs officiels qu'il rencontre protocolairement, réussit à séduire ces interlocuteurs en exercice réel du pouvoir, dont il tire désormais sa propre officialisation fictive.

Il souligne, dans le récit qu'il en a fait dans sa thèse de doctorat à la Sorbonne, que dès son premier acte public, lors de sa «visite très sous-officielle» dans sa ville natale de Chicoutimi, le 17 janvier 1985, il a mis en place tous les paramètres requis par l'importance du personnage de l'Illustre Inconnu dans lequel il s'est métamorphosé:

«L'événement, écrit-il, prend une ampleur considérable compte tenu de l'appui institutionnel qu'il a réussi à obtenir et de la couverture médiatique qui s'annonce. Du point de vue strictement protocolaire, la visite prend quelque peu la forme d'une visite papale avec toute sa rigueur et impose au chef de Cabinet que nous sommes de nombreux entretiens préparatoires».

Car il faut admettre que Denys Tremblay joue le maître Jacques, mais dans un style cornélien désopilant. L'exercice de ce pouvoir est si

1. *La valise diplomatique pour le transport de l'Unité volumétrique*
2. *L'Unité volumétrique de l'Impouvoir périphérique*
3. *La thèse de doctorat. Really-made sur laquelle la hauteur des aspirations, la largeur des points de vue et la profondeur des idées ont été mesurées*

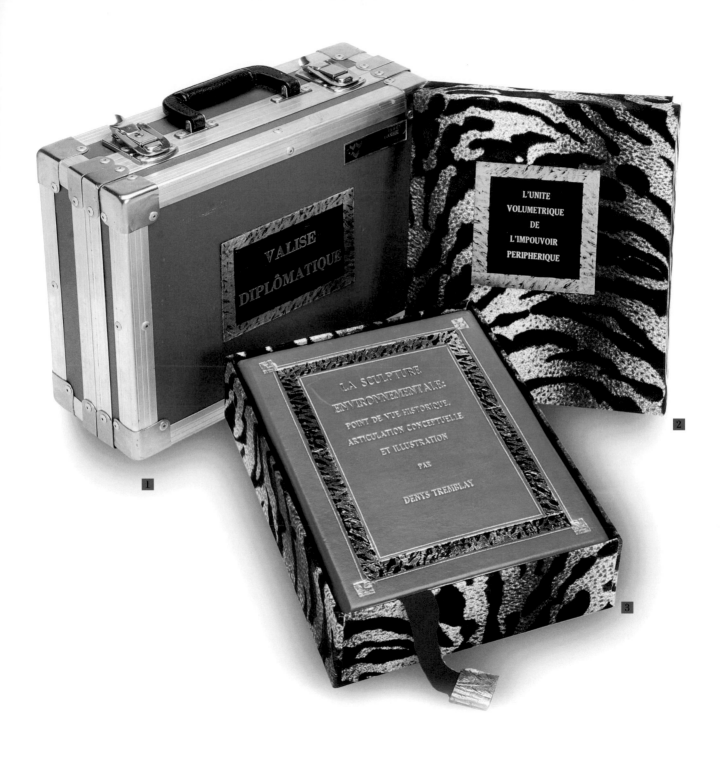

1 VALISE DIPLÔMATIQUE

2 L'UNITE VOLUMETRIQUE DE L'IMPOUVOIR PERIPHERIQUE

3 LA SCULPTURE ENVIRONNEMENTALE: POINT DE VUE HISTORIQUE, ARTICULATION CONCEPTUELLE ET ILLUSTRATION PAR DENYS TREMBLAY

délicat qu'il ne saurait s'exercer, ni même être toléré, si l'Illustre Inconnu n'exigeait pas de son chef de Cabinet des aisances protocolaires qu'il choisisse des thèmes et des actes susceptibles de satisfaire ses interlocuteurs par leur utilité sociale et leur réalisme. Toutes les problématiques économiques et sociales locales doivent donc être prises en compte par sa démarche, qui exige un réel sens politique. L'artiste mise sur la réussite de la «transaction» avec le monde réel local. Et pour qu'il y parvienne, toutes ses initiatives doivent être acceptables tant pour l'artiste que pour la population, à commencer par le maire ou l'homme d'affaires local.

Il sait qu'il ne peut pas prendre le risque de les mettre dans l'embarras (du moins un embarras excessif). Il est conscient aussi qu'il doit les séduire en leur proposant dans son théâtre des rôles et des situations qui les divertiront agréablement de leur routine bureaucratique quotidienne. Ce théâtre implique que tous les accords préalables aient été acquis, que le livret soit connu d'avance. C'est la condition qui permet au chef de Cabinet, qui a signé tous les documents préparatoires en délégation et avec l'autorisation de l'Illustre Inconnu, de se muer en Illustre Inconnu avec succès dès le premier instant des visites sous-officielles qu'il a ainsi organisées lui-même. L'humour fait nécessairement partie de ce théâtre, car il assure la permissivité des échanges réels. C'est pourquoi l'Illustre

Inconnu doit mêler le sérieux et la dénégation de lui-même, et se présenter aussi comme «Sa Très Ordinaire Impersonnalité». Jean Baudrillard, le philosophe de l'illusion et du simulacre qui sont à la base de ce jeu théâtral, dit:

«On ne peut pas davantage désigner les investigateurs du complot qu'on ne peut repérer les victimes. Car le complot n'a pas d'auteur et tout le monde est à la fois victime et complice. Il se passe la même chose en politique : on est tous dupés et tous complices du mode de mise en scène. Une sorte de non-croyance, de non-investissement fait que tout le monde joue un double jeu dans une espèce de circularité infinie.» («La commedia dell'arte», entretien avec Catherine Francblin, 1996, in *Le complot de l'art*).

Le jeu est constamment subtil, et c'est ce qui assure sa qualité aussi bien littéraire que littérale. Comme pour le théâtre, le travail préparatoire est minutieux, détaillé à l'obsession, tant dans la mise en scène de l'Illustre Inconnu que dans la pertinence de ses actes, au premier et au second degré, théâtral et réaliste. Il met en scène un simulacre plus réel que le réel ordinaire, aux limites du surréalisme, mais à l'opposé de tout fantasme ou non-sens, qui déraperait trop loin. Telle est l'exigence de cette fusion entre l'art et le réel, à laquelle aspire Denys Tremblay. L'imaginaire doit tendre au réel et le réel se détendre vers l'imaginaire.

De Richard Saint-Gelais, qui le note dans

son article sur «Les dispositifs illicites de l'Illustre Inconnu et les réglages subversifs de la lecture», Denys Tremblay reconnaît qu'il a percé le secret de sa stratégie. Je reprendrai donc ici deux concepts intéressants dont use Richard Saint-Gelais, ceux de «langage illicite» et de «réglage». En effet, l'artiste use de sa rhétorique protocolaire illicite pour assurer son autorité fictive sur ses interlocuteurs, et met ainsi en œuvre des réflexes acquis historiquement que l'on a occultés, tels que le respect de l'uniforme, ou celui de l'autorité royale. L'imaginaire réactivé par cette rhétorique illicite induit, grâce à une sorte de complicité d'abord passive, puis susceptible de devenir proactive et efficace, l'acceptation du piège rhétorique et linguistique dans lequel on est entraîné, et qu'on se surprend même à aimer. En recourant à ce langage, qui est celui de l'autorité mythique de l'uniforme ou de la couronne, on se positionne en sujet ou en fils vis-à-vis de la figure paternelle. Il en résulte, selon une autre expression de Richard Saint-Gelais, un «réglage» stylistique, qui est d'abord comportemental, puis bientôt sémantique. Il est difficile de s'y soustraire, comme à tout rituel vestimentaire, alimentaire, gestuel, ou rhétorique, qui entraîne le mental et crée des interrelations impliquant une demande de poursuivre la geste théâtrale du langage.

Denys Tremblay évoque même une fois, avec une image qui glace le sang, la méthode impitoyable du serpent pour expliquer sa réussite: «En fait, le piège du *really-made* fonctionne comme les anneaux du boa constrictor. À chaque expiration de la victime, l'étau se resserre jusqu'à la fin. L'artiste partage avec les interlocuteurs cette compression théâtrale à chacune de leurs expressions expiratoires parce que la mise en scène n'est pas faite pour la victoire de l'artiste-émetteur sur l'interlocuteur-récepteur mais pour changer les conditions de l'émission et de la réception elles-mêmes. Ces *really-made* font partie du B.O.A. périphérique (la Banque d'Opération d'Art périphérique). C'est un comportement typique de l'approche paradoxale, qui vise à prolonger la question hors de son territoire insoluble pour y trouver ensemble d'autres réponses.» (C, 17. 01. 09)

Et je me trouve moi-même, tentant de décrire sa démarche, pris aussi au piège du vocabulaire du réel et de l'irréel, bientôt incapable de résoudre l'ambiguïté des mots et des actes. Et c'est précisément là que l'artiste Denys Tremblay veut tous nous amener pour nous intégrer dans son *really-made*. Cette fiction plus réelle que la réalité, dans laquelle l'art instrumentalise la réalité et devient capable de la reconfigurer, est d'une telle efficacité qu'elle lui a permis de se faire élire démocratiquement roi dans une municipalité. Qui imaginerait que cela soit possible! Les mécanismes du *really-made* confondent adroitement les données des systèmes de l'économie,

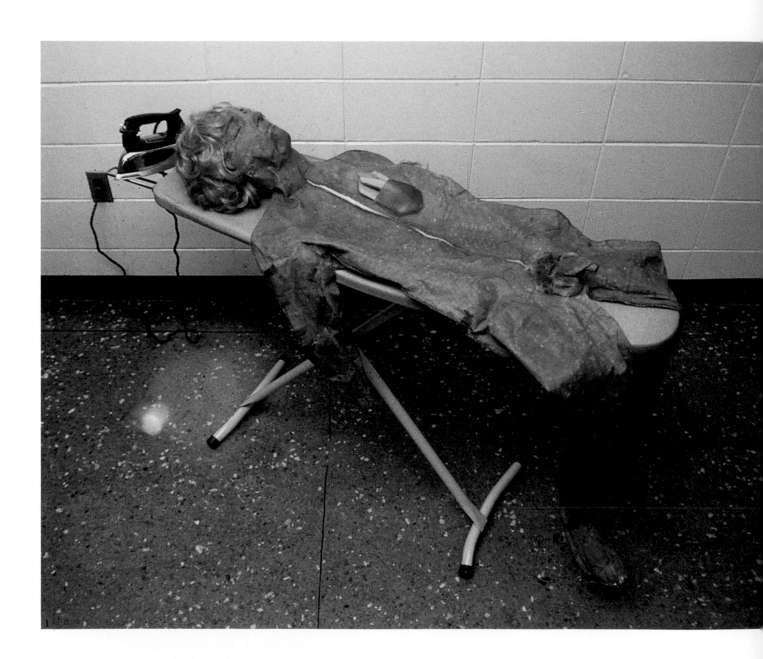

de l'art et du politique pour produire des situations «impolitiques» et «iconomique» d'un nouveau genre: imaginairement politiques et économiques. Mais soyons clairs: l'instrumentation est réaliste et annoncée d'avance, à l'opposé de tout cynisme. Elle est proposée et peut être librement acceptée ou rejetée. En outre, elle implique l'instrumentalisation de l'artiste lui-même.

Cette transaction entre le réel et l'imaginaire demande du style. Un certain style. Pourquoi l'artiste a-t-il constamment adopté une esthétique proche du kitsch, que ce soit dans ses premières installations ou dans la mise en scène symbolique de la royauté? Certes, il faut faire la part des exigences de l'uniforme ou de l'apparat royal. Les titres mêmes que l'artiste se donne, tels que l'Illustre Inconnu, les références au Cabinet des aisances protocolaire et la revendication de la royauté ne manquent pas d'une enflure verbale et d'un sérieux affiché qui pourraient verser dans le kitsch, s'ils n'étaient pas constamment chargés aussi de dérision, de sorte qu'ils ne tombent jamais dans le ridicule. Ainsi, les bijoux de la couronne tiennent plus du langage symbolique, éventuellement simple, comme les branches d'épinette dans la couronne, que de la surcharge décorative. Toujours est-il que cette tendance stylistique est pleinement

1. Sifflez en travaillant, *acquis par la Banque d'œuvre du Canada (détail)*

assumée par l'artiste lui-même, qui s'en explique ainsi dans un entretien avec une journaliste de Chicoutimi:

«Si je parle, c'est pour qu'on me réponde. C'est pour l'accessibilité formelle du message que je fais du kitsch, souvent humoristique. C'est pour soutenir l'intérêt que j'insiste sur le côté spectaculaire et parfois morbide.» (LDB, 163).

Ce kitsch est en fait exploité par Denys Tremblay pour assurer une pleine accessibilité du public populaire à ses dénonciations, et il est aussi utilisé dans un sens très critique, comme on peut en juger dans son commentaire sur l'une de ses installations, *Sifflez en travaillant*, (1977):

«Entre l'annonce d'une serviette hygiénique désodorisante de couleur pastel et celle d'un indispensable distributeur automatique de fossettes artificielles, les maris s'aplatissent lentement sous le va-et-vient laxatif des outils imposants, maniés par des épouses obèses à cheveux crépus et plastifiés vert, jaune et blanc (à la mode punk quoi!)... Le fer (à repasser) fait son œuvre sans titane et les vapeurs soporifiques empoisonnent l'atmosphère pseudo-véridique d'une jungle trop connue. Pendant ce temps, les planches à repasser rugissent et rougissent aux cris lancinants d'un Tarzan radiophonique, caressé par une superbe belle lame de rasoir à double tranchant. Ni le style gothique flamboyant d'une radio délirante ni la main sensible d'un aveugle consentant ne réussiront à faire oublier le triangle parfait de l'irrémédiable outrage fait à l'homme avec un grand Hasch...» (TA, 42)

Ce morceau de bravoure stylistique, qui double et renforce l'œuvre plus qu'il ne la décrit, ne laisse aucun doute sur le plaisir que prend Denys Tremblay à en rajouter dans une création verbale aussi flamboyante que grinçante, et qui frise le désespoir.

Le critique d'art québécois Laurent Lamy le souligne:

«Ses œuvres faites avec un soin qui révèle l'engagement de l'artiste (...) sont conçues dans une intention d'éducation populaire. (...) Elles incitent d'abord au rire mais, surtout, à la réflexion sociale et politique. Tricherie, supercherie, sarcasme grinçant. Humour noir, ironie acerbe sont au service d'une dénonciation sévère de situations et de comportements absurdes. (...) Hyperréalité qui fait croire, à première vue, à une reconstitution anodine. Ici, c'est le faux qui est vrai. La redondance, l'accumulation, l'excès et la transgression instituent un jeu cruel fait de parodie, de complexité et d'ambiguïté: le faux est inscrit dans le vrai et le vrai dans le faux.» (Vie des Arts, hiver 1978-1979, n° 93, p. 45)

Dans la revue *Protée*, qui consacra un numéro complet, préfacé par Jean-Pierre Vidal, à l'exposition des professeurs d'art de l'Université du Québec à Chicoutimi (numéro hors-série, printemps 1979), Denys Tremblay invente un petit dialogue humoristique avec les témoins de Jého-vah qui frappent à sa porte. Et il dit, pour expliquer ce qu'il fait, lui aussi, dans un monde «où les choses vont en empirant»: «Écoutez, c'est un peu comme si j'illustrais un éditorial du journal *Le Devoir* avec des photos du genre *Allô Police!*».

Nous ne sommes donc pas, dans cette transaction tremblaysienne entre l'imaginaire et le réel, déboussolé comme l'Alice au pays des merveilles que Lewis Caroll fait passer de l'autre côté du miroir. Certes, Denys Tremblay use plusieurs fois de cette métaphore et se sert de procédés stylistiques et d'une logique prise à la lettre avec au moins autant d'excès que Lewis Caroll. Mais lorsqu'il recourt à des expressions telles que l'«Illustre Inconnu», l'«Impersonnalité», les «Régions Unies» au lieu des Nations Unies, la «Région d'honneur» au lieu de la Légion d'honneur, etc., il ne crée pas un univers symétrique au monde réel, et qui en serait en quelque sorte le négatif absurde ou qui viserait à en démontrer l'absurdité conventionnelle. Comme on le note souvent Alice s'enfonce petit à petit dans un monde de plus en plus paradoxal, ce qui la force à tout relativiser et à y errer en cherchant du sens. Ainsi doit-elle, pour atteindre le jardin, d'abord s'en éloigner, de même qu'il lui faut, dans cet univers étrange, courir très vite pour rester sur place. Or, ce n'est ni le non-sens, ni l'absurde, ni le bizarre, ni le quiproquo, qui intéressent Tremblay, même s'il use abondamment des jeux de mots et des oxymorons. Il cherche plutôt ses références du côté d'une dé-nonciation réaliste et d'une proposition sensée. Il s'inspire du situationnisme et de sa critique de la *société du spectacle*. Il note que «nous passons de l'autre côté du miroir surtout si nous "réflé-chissons" ce monde "réellement renversé", où "le vrai est un moment du faux", selon l'expression de Guy Debord». (C, 30. 12. 08)

Mais devons-nous conclure que l'entreprise était trop réelle et trop fantasmagorique tout à la fois, donc trop irréaliste, de sorte que l'artiste Denys Tremblay a finalement bel et bien échoué dans cette grande bataille royale qu'il a menée entre l'imaginaire et le réel? Usant d'une hyper-logique politique et sociale, a-t-il été le Don Qui-chotte de nos propres moulins à vent? Il me semble que nous devons au lecteur, après ces évocations fabuleuses, de revenir sur terre en-tièrement et sans autre excès d'imaginaire pour évoquer la suite et fin probable de cette histoire, où Denys Tremblay se plaça, rappelons-le, sous la protection de nul autre que saint Jean-Baptiste.

Nous avons évoqué la tourmente médiatique qui sévissait à L'Anse-Saint-Jean, malgré les efforts de la mairesse Rita Gaudreault, et mentionné l'apparition d'un nouveau candidat, Claude Bou-cher, le président de l'association des proprié-taires du secteur Périgny, qui reprochait publi-quement à Mᵐᵉ Gaudreault de «n'avoir pas su s'imposer à la table du conseil municipal, ce qui a nui au développement économique de L'Anse».

Lui-même entendait «faire campagne sur le développement récréo-touristique, un moyen de freiner l'exode des jeunes». Et après la polémique sur la subvention de 100 000 $ votée par le conseil municipal de L'Anse-Saint-Jean, ce fut lui qui suc-céda à Rita Gaudreault, lorsqu'elle perdit la ma-jorité au conseil par quatre voix contre trois. Or, rien ne nous prouve à l'heure actuelle, douze ans après le référendum royal, que le maire recon-sidèrera le projet Saint-Jean-du-Millénaire. Car il semble, si l'on en croit les gens d'affaires de la région et ceux qui dirigent le développement du mont Édouard, qu'il soit plus désireux de contribuer au développement touristique de la municipalité que de poursuivre les anciennes polémiques. Il ne peut manquer de constater que sa municipalité profite encore de la renommée que lui a procurée la monarchie municipale.

Et lorsque j'ai visité en août 2008 le site du mont Édouard avec Noël Daigle, ancien président des Ami(e)s du roi et homme d'affaires expéri-menté, une personnalité qui a gardé une grande influence locale, j'ai pu observer qu'il travaille plus que jamais à la réalisation du projet Saint-Jean-du-Millénaire. Le projet semble avoir été si bien conçu et apparaît si pertinent que de plus en plus de personnes de L'Anse-Saint-Jean espè-rent à nouveau sa réalisation. Les promoteurs de la station de ski du mont Édouard ont déjà construit des observatoires qui offrent une vue spectaculaire sur le site qui devait accueillir la fresque. L'aspect rationnel du projet s'impose. On reconnaît qu'il assurerait un rayonnement international à la région. On souligne à la Société de développement que la clientèle d'été des croisières sur le Saguenay pourra être conduite par cars jusqu'au mont Édouard et accéder par les remontées mécaniques aux fameux observatoires qui permettent aussi de découvrir une des plus belles vues des montagnes de la région. Les ministères sont à nouveau approchés pour le financement requis pour le projet qui sera lié à d'autres attractions, telles qu'une maison flottante sur le lac. On évoque la possibilité d'un nouveau pôle touristique au cœur du Québec, exploitant le thème de la nordicité, soutenu par la qualité de la restauration, de l'hôtellerie et de l'artisanat. Ce sont très probablement les hommes d'affaires et les promoteurs qui vont finalement faire aboutir ce projet artistique. Ne serait-ce pas le comble d'un *really-made*! Peut-être aurons-nous même un jour à L'Anse-Saint-Jean un Hôtel royal, un Musée royal proposant le récit illustré de cette aventure exceptionnelle, les bijoux de la couronne, des cartes postales, des assiettes royales, de la gelée royale, etc.

La plaque commémorative du couronnement de L'Anse-Saint-Jean va-t-elle réapparaître dans la petite église? La référence à Denys Tremblay y ouvre toujours des portes, comme celles de l'Auberge des Cévennes, dans le village, ou de la Maison du Vébron, en bas des pentes de ski du mont Édouard. Les enjeux artistiques sont majeurs, certes, car l'œuvre monumentale sera exemplaire et s'inscrira comme un chef d'œuvre de l'histoire de la sculpture environnementale. Quant aux enjeux extra-artistiques, notamment économiques, touristiques et écologiques, ils s'imposent d'évidence comme une opportunité exceptionnelle pour L'Anse-Saint-Jean et sa région.

Aujourd'hui, nous pouvons affirmer que même l'abandon final du projet Saint-Jean-du-Millénaire n'enlèverait rien à la valeur de la démarche de Denys Tremblay et que l'adversité rencontrée par l'artiste au fil des années enrichit même sa portée singulière et historique. Mais à L'Anse-Saint-Jean l'imaginaire va sans doute vaincre le réel, tant il peut être plus vrai, plus rationnel et plus puissant que la réalité. Ils sont de plus en plus nombreux et prêts à en parler publiquement ceux qui espèrent toujours le retour de l'artiste Denys Tremblay pour inaugurer un jour prochain cette spectaculaire fresque végétale, dont la réalisation finale constituerait un *really-made* des plus heureux.

Et peut-être même l'artiste, qui en a tant donné, recevra-t-il de Saint-Jean-du-Millénaire… des royalties… en «De L'Art de L'Anse».

1.2.3. *Observatoire construit par la municipalité de L'Anse-Saint-Jean offrant différentes vues sur le versant du mont Édouard, l'emplacement du projet d'implantation de Saint-Jean-du-Millénaire.*

L'artiste
roi

Nombreux sont les artistes qui ont imaginé des États et des républiques. Comment ne pas citer Marcel Duchamp lui-même, participant en 1916 avec Joan Sloan et Gertrude Drick, dans un esprit anarchiste, à un lâcher de ballons dans le ciel de New York du haut des échafaudages de rénovation de l'arche de Washington Square, et proclamant ainsi la fondation de la «République indépendante de Greenwich Village». D'autres artistes se sont plu à parodier les institutions publiques avec passeports et tampons en caoutchouc hautement bureaucratiques. Dans les années 1960-1970, le mouvement Fluxus et l'art postal ont connu un florilège de créations. Nous devons à Irene Dogmatic *The United State of Absurdity, Secretary of Art*, à J.-H. Kalkmann la *Central Administration of Artistic Defence*. L'artiste français Jacques Jeannet, que j'ai bien connu, anarchiste et champion de ce qu'il appelait la «décréation» de l'art, a institué dans les années 1970 l'*Étart d'Ambilly*, dont Charlemagne Palestine avait composé l'hymne officiel. Ambilly est le petit village de Savoie, près de Genève, où il habitait. Il s'en était proclamé Président-Résident, nommait de nombreux ambassadeurs dans le monde entier (je crois que j'avais été promu à ce titre), envoyait des «lettres ouvertes sous pli fermé» au nom des «hommes d'esprit extrémistes du centre de l'Étart d'Ambilly». Il avait créé aussi une «monnaie d'artiste» pour payer ses contraventions, ses

entrées de musées, ses restaurants; et il y avait inscrit: «L'artiste reconnaît à chacun le droit de créer sa propre monnaie et la libre circulation de ses billets dans tous les pays.» Il collectionnait les factures, dont il fit un livre. J'ai d'ailleurs moi-même, à l'époque, je dois l'avouer, institué un Bureau d'identité imaginaire mobile, qui émettait des cartes d'identité imaginaires sur la base d'un libre entretien public avec chaque requérant. Richard Martel et le collectif Inter/ Le lieu, de Québec, ont institué les Territoires nomades, au nom desquels ils ont émis des passeports à plus de mille citoyens, et établi des bureaux de services consulaires dans de nombreux pays. Il s'agit en fait d'un réseau de partenaires artistiques, centres culturels, galeries, festivals, etc., qui coopèrent au niveau international dans le domaine de la performance. Plusieurs ont inventé des pays virtuels, tels la Lomar Republic, créée en 1995 sur Internet. Censée être située quelque part entre l'Alaska et le pôle Nord, mais sans localisation géographique plus précise, elle revendique plusieurs milliers de citoyens et délivre elle aussi des passeports. Elle est en relation suivie avec plusieurs autres micronations telles que la *Principality of Corvinia*, le *Kingdom of Talossa*, le *Dominion of Melchizedek*, et d'autres.

Denys Tremblay est lui aussi un artiste. Mais dans le cas de L'Anse-Saint-Jean, il ne s'agit ni de parodie ni de territoire virtuel. L'artiste a été roi légitime. Démocratiquement élu selon les lois du Québec. Il a été couronné. Il a abdiqué. On a encore du mal à y croire. Mais la question demeure, non moins étonnante: comment un artiste peut-il souhaiter devenir roi réel, *real*, si je puis synthétiser en un mot l'espagnol et l'anglais pour insister sur la réalité de cette royauté.

C'est l'occasion de se demander d'où viennent les royautés. Du ciel? C'est ce qu'elles prétendaient, se réclamant de droit divin. Nous ne parlons pas ici des rois et des reines qui le deviennent par filiation ou mariage arrangé, mais des premiers de lignage, qui ne peuvent revendiquer un droit de naissance. L'établissement d'une royauté suppose toujours des circonstances exceptionnelles; moins souvent un déluge, ou un fantasme d'artiste, que des faits d'armes. Cela prend le charisme et la pulsion d'un chef de guerre, capable d'exploiter à son profit des situations propices. La légitimité du sang royal procède du sang versé. Il faut, pour devenir roi, le premier d'une lignée, être guerrier victorieux, habile stratège, souvent cruel. Nos manuels d'histoire nous rapportent les hauts faits de bien des royautés qui se sont fondées sur des invasions ou des assassinats. Dieu n'y a sans doute vu que du feu. Les chroniques royales abondent en heurs et malheurs militaires, voire en révolutions et trahisons de palais. Les rois et les reines «modernes» de nos démocraties marchandes sont d'apparences beaucoup plus

pacifiques. Ils ne commémorent plus les conquêtes sanglantes de leurs ancêtres avec fierté, et se soumettent généralement à des consensus constitutionnels qui encadrent étroitement leurs pouvoirs. Chefs théoriques des armées, ils ne sont plus ceux qui décident de les mener sur les champs de bataille. Ils règnent, mais ne gouvernent plus. Mais une encyclopédie universelle de la naissance des empires et des royaumes manque encore à nos bibliothèques. Elle serait édifiante et souvent tragique. Il y toujours à l'origine de toute monarchie une aventure individuelle.

Certaines sont fascinantes et respectables, comme celle d'Henri Ier, né Henri Christophe à la Grenade en 1767, l'un des libérateurs d'Haïti avec Toussaint-Louverture, soucieux de la défense militaire et de l'indépendance de son pays, mais aussi de l'éducation de la population. Il s'autoproclama roi en 1811, puis se suicida en 1820, à la suite d'une rébellion de ses propres généraux, en se tirant une balle d'argent dans le cœur. Aimé Césaire lui a consacré une magnifique tragédie, *La tragédie du roi Christophe*, qui traite de la colonisation et de la revendication identitaire créole: «On nous a volé nos noms!», s'exclamait Henri Ier pour conscientiser ses concitoyens aux méfaits de l'esclavage et de la colonisation. D'autres cas sont cauchemardesques, comme l'accession au trône du sinistre empereur Bokassa de la République centrafricaine

(1976). L'Afrique a connu plusieurs rois qui étaient d'anciens putchistes. Ils ont troqué le treillis militaire contre pour la fourrure de tigre et les trônes en défenses d'éléphant.

Bien entendu, nous avons vu aussi, en France, il n'y a pas si longtemps, des aventuriers au caractère puissant s'autoproclamer empereurs. Napoléon Ier l'est devenu par le coup d'État du 18 brumaire et une série de plébiscites. Napoléon III par le coup d'État du 2 décembre 1851. Napoléon Ier aimait nommer des rois pour gouverner son empire, que ce soit ses frères, Louis, roi de Hollande, en 1806, Jérôme, roi de Westphalie, en 1807, Joseph, qui devint José Ier, roi d'Espagne, en 1808, sa sœur Élisa, grande duchesse de Toscane, en 1809, ou ses maréchaux comme Joachim Murat, qui devint roi de Naples et des Deux-Siciles avec son épouse Caroline, sœur de l'empereur. Le maréchal Bernadotte, né dans les Pyrénées, devint roi de Suède et de Norvège en 1818 sous le nom de Charles XIV. Napoléon III reprit l'usage de son oncle en nommant Maximilien de Habsbourg empereur du Mexique en 1864.

Certains rois, sans être des artistes, furent des aventuriers imaginatifs. Ainsi en fut-il d'Orélie-Antoine de Tounens, huitième enfant d'une famille de fermiers, né en 1825 à Tourtoirac, en France, grand lecteur qui s'enticha de l'histoire des indiens Mapuche du Chili. En 1857, il décida de vendre sa charge d'avoué à Périgueux pour aller se faire élire roi de Patagonie et d'Araucanie par le Mapuche, sur la base d'une prophétie légendaire, sous le nom d'Orélie-Antoine Ier. S'ensuit une histoire rocambolesque. Après avoir proclamé la nouvelle constitution qu'il a rédigée, il déclare annexer les territoires du sud jusqu'au Cap Horn et enflamme par ses discours l'esprit de résistance traditionnel des Mapuche. Il sera arrêté, condamné à mort par le gouvernement chilien, libéré pour folie sur intervention du gouvernement français, et rapatrié. Il retournera en 1871 dans son royaume tenter une seconde chance, mais devra s'enfuir presque aussitôt. Le musée du Périgord lui a consacré une exposition en 1969 et l'écrivain Jean Raspail un roman *Moi, Antoine de Tounens, roi de Patagonie* qui lui a valu le prix du roman de l'Académie française en 1981.

On pourrait rappeler de nombreux autres cas, plus ou moins réels, plus ou moins fumeux. En voici quelques-uns, parmi ceux dont on trouvera la liste exhaustive et les descriptions sur le site geocities.com/CapitolHill/5829/nonreconnus. html.

De tous les micro-États cités dans cette liste, la principauté de Hutt River, en Australie, est le plus proche d'une reconnaissance internationale. Fondée en 1970 par celui qui devint le prince Leonard, la principauté de Hutt River s'étend

1. *Le roi portant la couronne, la main du ciel et le grand collier de l'Ordre des compagnons et compagnes du millénaire*

1

sur 75 km², soit approximativement la superficie de la ville de Hong-Kong. À titre de comparaison, pour citer des références européennes, rappelons que la république de Saint-Marin représente 61 km², la principauté de Seborga 14 km², la principauté de Monaco 2,5 km² et l'État du Vatican 0,44 km². Le nombre de détenteurs d'un passeport de Hutt River à travers les cinq continents se situe aux alentours de 13 000 citoyens dont 700 demeurant aux États-Unis et 500 en Allemagne. La représentation de la principauté à l'étranger comprend des ambassadeurs, des chargés d'affaires et un corps consulaire d'environ 70 membres. La principauté dispose de sa propre force de sécurité, de sa monnaie et de ses timbres postaux. Outre ses passeports nationaux, la principauté délivre ses permis de conduire et, d'une manière générale, tous documents utiles pour ses citoyens. Les résidants en principauté sont exonérés de toutes taxes par l'administration fiscale australienne. En France, la principauté dispose d'un consulat général qui édite *Le Courrier de Hutt River* (trimestriel).

Le Free State of Abaco, déclaré « État libre » par son fondateur Mike Olivier, un agent immobilier originaire du Nevada, est une île des Bahamas située à 170 milles à l'est de la Floride. Le dirigeant de cette nouvelle nation a écrit un livre sur Abaco intitulé *Une nouvelle constitution pour un nouveau pays* et Mike Oliver affirme que les Abaconiens sont « déterminés à ne pas devenir une nouvelle république bananière ». Le seul problème qui semble se poser est que les Abaconiens tardent à reconnaître Oliver comme leur président ou roi… (Source : The Micronations Page »).

« L'empire d'Aeldaria a été créé au Texas en février 1996 par un certain Dale Morris, autoproclamé de droit divin (et en toute simplicité) empereur Dale Iᵉʳ. Il prétend rassembler une quinzaine de citoyens et une population « non citoyenne » de 12 000 "Vulgars" qui ignorent résider sur le territoire revendiqué par l'empire ou, pire encore, ne reconnaissent pas la légitimité du nouveau souverain. Sa Majesté Impériale, qui a promulgué une constitution, est assistée d'un Haut Conseil et d'un sénat. Le latin figure parmi les langues officielles d'Aeldaria. »

La principauté d'Armagnac semble cultiver une certaine ambiguïté. A-t-elle réellement sa place dans le cadre de notre petite liste ? Pour l'heure, notons que les terres de la principauté d'Armagnac (France) recouvrent environ 70 ha dans le Gers, 40 ha dans le Lot-et-Garonne et bordent la rivière Baïse en cours de renavigabilité. À l'origine de cette création – ou résurgence –, on trouve Jacques de Pardaillan, issu d'une des plus anciennes familles d'Europe. Descendants des mérovingiens, rois d'Aquitaine, les Pardaillan prirent en 1347 le lignage des comtes d'Armagnac, d'où le nom de la nouvelle principauté.

Nous ignorons quels sont le statut et l'organisation précise de ces terres d'Armagnac mais un plan d'aménagement de la principauté était en cours d'élaboration en 1995, plan qui devait recevoir l'appui des collectivités territoriales françaises et des instances financières de l'Union européenne. Parmi les axes prioritaires du plan figurent la réalisation de cinq kilomètres de routes à construire dans la principauté, l'édification du «village européen» d'une capacité de 500 à 800 personnes, une salle de représentation de 5000 places, des restaurants, un hôtel de 200 chambres et une régie de télévision. Était en outre envisagée la création d'un «centre européen de produits des métiers d'art», l'aménagement d'un refuge-marina de 40 anneaux et la mise en place des infrastructures nécessaires à un «festival de films de cape et d'épée». Lieu de mariages, centre de généalogie et d'édition, la principauté se veut également un carrefour artistique destiné aux collectionneurs et amateurs d'objets rares. La vie économique du «territoire» de Jacques de Pardaillan est, bien entendu, attachée à la production et à la distribution de l'alcool d'Armagnac et la principauté affirme pouvoir rassembler derrière elle toutes les réserves des distillations des trente dernières années.

L'ambiguïté du concept de «principauté d'Armagnac» (qui est une appellation légalement déposée en juin 1994) n'est peut-être pas innocente. S'agit-il d'une véritable tentative d'autonomisation ou d'un astucieux habillage commercial destiné à rehausser le prestige de la marque d'eau-de-vie? Plus probablement la principauté se situe à un point de convergence de diverses préoccupations, à la fois traditionnelles, familiales, culturelles et financières.

Ce site web décrit ainsi une trentaine de micro-États non officiellement reconnus, et d'une grande diversité d'origine et de mœurs. La proposition que Denys Tremblay faisait au bureau de l'UNESCO à Québec en 1998 de réunir un «maxi-sommet des micro-États dans notre royaume de L'Anse-Saint-Jean pendant l'été 2001» correspondait donc à une réalité tangible. Et l'événement n'aurait pas manqué de retentissement médiatique!

Denys Ier n'est donc pas le seul qui ait imaginé être roi. Mais il est certainement le plus légitime et le premier roi de l'histoire à s'être fait élire démocratiquement, le plus réellement du monde, comme roi municipal d'une municipalité toute aussi réelle. Il est vrai que le Saguenay–Lac-Saint-Jean n'est pas une région comme les autres. Elle est atypique et a compté beaucoup d'esprits aussi imaginatifs qu'entreprenants. Cela vient peut-être de sa tradition métissée, des défricheurs et des coureurs des bois, et de l'isolement hivernal du temps passé. On y entretient le mythe amérindien d'un ancien royaume du Saguenay. Et dans une région où plusieurs dénoncent «le pays trahi» par la négligence ou le désintérêt du gouvernement central, ce mythe a certainement

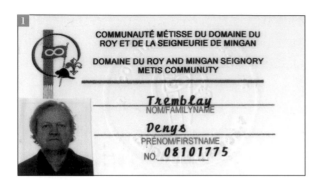

Carte de métis de Denys Tremblay émise par la communauté métisse du domaine du Roy et de la seigneurie de Mingan

fait oublier que l'idée de monarchie est associée aussi aux colonisateurs des royautés française et britannique.

Denys Tremblay a donc été souverain, à défaut, comme il aime le dire, de voir le Québec le devenir. Et il a voulu être un roi politique. Motivé dans sa démarche par la destinée malheureuse du Québec, il interprète d'ailleurs la blessure personnelle de son échec immédiat et de son humiliation financière comme une répétition des blessures narcissiques du peuple québécois au cours de son histoire et récemment encore lors des deux référendums perdus. Il y voit l'incapacité du Québec à assumer sa liberté créatrice et à passer à l'action, alors que lui-même s'est fait le champion du *really-made*. Par l'audace, dont il a donné l'exemple lui-même, son œuvre fait de lui un artiste qui s'identifie à l'histoire de son pays. Et malgré sa déception personnelle, qui résonne dans son esprit comme une répétition de celle du Québec, il espère encore une résilience pour l'avenir.

Pourtant n'est-ce pas une impossibilité fondamentale, pour un artiste, que de devenir roi? Il est dans la tradition des rois et des empereurs de soutenir les arts pour assurer leur gloire. Mais, inversement, on voit mal un artiste devenir un guerrier ou un habile conspirateur de palais pour accéder au trône. Pour réussir, la tradition voulait plutôt que les artistes deviennent courtisans. Ainsi, l'Américain Jeff Koons a exposé ses œuvres dans la galerie des glaces et les plus belles salles du château de Versailles en 2008. Il ne l'a pas squatté, ni occupé de force. Le privilège lui en a été accordé par le président de la France, en accord avec la tradition de monarchie républicaine de ce pays.

Bien sûr, certains empereurs et rois se sont pris pour des artistes. Tacite et Suétone rapportent que l'empereur Néron aimait chanter et jouer de la lyre en public. La rumeur circula même qu'il aurait trouvé l'inspiration en contemplant du haut du Quirinal l'incendie gigantesque qui embrasa Rome pendant six jours. (Tacite, *Ann.* XV; Suétone, *Néron* XXXVIII) Et lorsqu'il fut démis par le sénat et se suicida, il se serait exclamé: «Quel artiste périt avec moi!» De même, Louis II de Bavière se passionnait presque exclusivement pour l'architecture et la musique, et il dépensa tellement pour les arts que le gouvernement décida de le faire enfermer comme fou, tandis que Paul Verlaine, admiratif, lui dédiait un poème « À Louis II de Bavière, le plus grand roi du siècle » (1888).

Bref, il n'est pas aisé de réunir dans une seule et même personne des talents d'artiste et de roi. Comment un roi pourrait-il être un artiste ? Comment l'artiste pourrait-il être un roi ? Certes, tous deux prétendent à des réussites exceptionnelles et rivalisent de gloire. Tous deux aspirent à la postérité. Mais la tradition veut que l'art légitime le pouvoir et que le pouvoir, en échange, en garantisse la gloire. L'artiste roi prétendrait donc cumuler les deux mythes de la puissance et de l'art, comme une figure suprême du pouvoir de création. C'est bien ce qu'ont tenté d'instituer historiquement la royauté et l'Église, pour consolider leur légitimité spirituelle. Et c'est bien ce à quoi prétend aujourd'hui encore la création capitaliste. Ne devrait-on pas considérer l'*artiste roi* comme un mégalomane ou comme un naïf ?

De fait, l'idée d'artiste roi rejoint le mode de pensée de Denys Tremblay. Elle est aussi paradoxale que celle d'Illustre Inconnu. Une contradiction en soi, ou, comme il aime le dire, un oxymoron. Celui qui se prétend « Très Ordinaire Impersonnalité », n'est certainement pas un artiste ordinaire. Ses talents littéraires, d'acteur, de metteur en scène, de sculpteur environnemental sont évidents, mais il a finalement choisi de se consacrer à l'art... d'être roi : une œuvre d'art qui fusionne l'imaginaire et le réel, l'art et la vie dans un *really-made* audacieux. Sa prétention n'est tenable que parce qu'il prétend au dépassement de l'art dans la réalité politique, économique et sociale. Et cela dans l'espace et le temps social réel et local, à l'opposé de toute idéologie idéaliste de l'art conçu comme un ailleurs abstrait. Sa conception de l'art lui permet d'échapper à l'opposition traditionnelle entre l'art et la réalité, entre l'art et les défis économiques et sociaux. Il a été capable de concilier et d'incarner les deux esprits, les deux rôles, les deux démarches créatrices, au moins pendant trois années. Force est d'admettre, malgré son abdication, qu'il a réussi l'impossible, et qu'on ne saurait lui en enlever le talent.

Je prétendrai donc qu'il a bien été artiste roi, sans doute le premier de l'histoire, et peut-être le seul que nous connaîtrons jamais. Certes, il a été plus artiste roi que roi artiste. Je n'aurai pas l'ingénuité de Verlaine, mais je crois qu'il a été une figure exceptionnelle de l'art de notre temps.

Il est loin d'être le seul artiste à s'être impliqué politiquement à ce point, car l'engagement n'est pas antinomique de l'art. On pourrait en citer ici de très nombreux, et parmi les plus grands, y compris Tatline ou Picasso. Mais s'il est un artiste qui mérite ici toute notre attention, c'est Gustave Courbet, qu'il faut nommer le communard, le révolté, le libertaire, l'ami du peuple, le compagnon de Proudhon et de Vallès, qui prend part à la destruction de la colonne Vendôme en 1871. Après la défaite de la Commune, il est victime de la répression, emprisonné dix mois à Sainte-Pélagie. Ses biens sont confisqués, prétendument pour payer la restauration de la colonne. Il est interdit d'exposition dans les Salons et il doit s'exiler en 1873 en Suisse, où il meurt, épuisé par les poursuites, quatre ans plus tard. Du temps de l'Empire auquel la Commune mit fin, il ne s'était pas montré aussi rebelle. Mais le succès de sa carrière aidant, il ne manqua pas d'arrogance artistique. Ainsi, traitant d'égal à égal avec l'Empire, il déclare en 1855 au directeur des beaux-arts Nieuwerkerke, qui fait appel à ses talents, qu'il « est à lui seul un gouvernement » et qu'il n'a pas besoin de commande d'un autre gouvernement pour vivre (lettre à Bruyas).

Denys Tremblay aime faire référence à cet artiste qui a inventé le réalisme social. Il a même repris l'image de son tableau célèbre *L'atelier du peintre*, en l'inversant, pour transformer son diplôme de doctorat en *really-made* « diplômatique ». Il l'admire parce qu'il s'est engagé personnellement, à ses risques et périls, dans les questions politiques de son temps :

« Cela me fait réfléchir sur la notion de réalisme en art. Dans le fond, les institutions ou l'arrière-garde résistent toujours au réalisme, lorsqu'il devient de plus en plus évident. Je pense à *L'atelier* de Courbet (allégorie réelle), refusé au Salon de 1855, et à tant d'œuvres dont le tort était d'être ou de représenter le réel. En montrant sans pudeur la réalité du monarchisme canadien (le principe "canadien", en somme) et en réalisant concrètement un détournement bien réel de celui-ci (une souveraineté à la fois symbolique et bien réelle), j'étais condamné d'avance, comme Courbet et les autres qui veulent faire un art sans pudeur ni maniérisme, selon l'expression de Courbet. Il est permis de surréaliser le monde, de questionner le monde par l'art et même d'en prendre une portion et de le présenter comme art, si les décideurs du contexte l'acceptent et le veulent, mais pas de transformer ce monde réellement par l'art. On franchit alors l'ultime frontière de l'art, là où le *really-made* commence, du moins je le crois. » (C, 02. 07. 08)

Il a appris aussi la leçon des dadaïstes qui ont critiqué l'absurdité de la guerre et de l'art bourgeois. Il a retenu du mouvement constructiviste russe son engagement politique, et de Fluxus l'art de rapprocher l'art de la vie. Et, comme artiste assumant sa responsabilité royale, il pense et agit selon ses convictions politiques. Cela le conduit à ne pas opposer art et réalité, mais à les repenser tous deux autrement. Et il raisonne de même en politique. Jugeant qu'il

1. *Détail de la toile* L'atelier du peintre, *1855, Gustave Courbet, Paris, Musée d'Orsay, reprise et inversée pour le diplôme de doctorat de Denys Tremblay*

n'y a pas de profonde différence entre une souveraineté-association et un fédéralisme renouvelé, il suggère que la problématique constitutionnelle entre le Québec et le Canada est mal posée. Et il conçoit une alternative: se détourner du pouvoir fédéral plutôt que de s'y confronter:

«J'ai toujours cru qu'il était impossible de réaliser la souveraineté québécoise sans prendre ses distances symboliquement avec l'ancien régime canadien. Je prends en exemple le peuple amérindien affirmant son statut de "Premières nations". C'est cette rupture symbolique préalable qui leur permettra d'obtenir des territoires par la suite. Le peuple québécois s'est malheureusement habitué à un imaginaire de suicidés ("vous êtes pas écœurés de mourir, bande de caves!") avec la complicité de son élite. Personne ne s'occupant de cette tâche, j'ai pensé devoir m'y consacrer d'urgence, dans ma posture périphérique et dans un royaume déjà existant. J'étais convaincu que l'on me couperait les ailes un jour ou l'autre. Mais quand? De quelle manière? Avec la complicité de qui? Doit-on être un collaborateur ou tenter de développer d'autres imaginaires, d'autres symboliques et finalement d'autres espoirs! La question de la pérennité royale ne se posait pas car je ne l'ai pas vraiment envisagée. D'ailleurs, si elle avait continué, le défi aurait été exactement le même que celui du lendemain de la souveraineté québécoise.» (C, 12. 11. 08) C'est au terme de cette analyse que Denys

Tremblay propose une indépendance monarchiste. Il a pensé pouvoir assurer cette souveraineté par le biais de la restauration d'un monarchisme local face au monarchisme colonial de la Grande-Bretagne sur le Québec. En créant un pouvoir royal indépendant de la monarchie britannique, il est convaincu qu'on pourra retrouver un équilibre avec le gouvernement canadien sans s'engager dans une opposition frontale. Et il choisit d'assumer, symboliquement et personnellement, le destin du peuple québécois. En provoquant, à lui seul, l'organisation d'un référendum pour la «souveraineté» de son territoire, il fera resurgir le mythe du royaume du Saguenay sur lequel il fonde son projet. Et il considère son petit territoire comme exemplaire de l'ensemble.

Ce n'est pas une philosophie politique secrète qui inspire son projet. Il s'en explique très publiquement, explicitement, et dans les lieux significatifs. Ainsi, dans le mémoire intitulé *Le référendum en questions: l'avantage premier de la monarchie: accéder à la souveraineté du Québec par la tenue d'un référendum ayant une question claire et permettant des conditions gagnantes* que présente Denys Tremblay dans le cadre des Commissions régionales sur l'avenir du Québec en 1995, il propose d'utiliser le principe fondamental de la monarchie afin d'accéder à une souveraineté québécoise plus ou moins associative avec le Canada. Pour ce faire, il lui paraît nécessaire de distinguer les pouvoirs du chef de l'État, un monarque, et du chef du gouvernement:

« J'ai toujours pensé que le rôle monarchique canadien pouvait réellement et paradoxalement servir à la reconnaissance de la distinction québécoise à l'intérieur du Canada et même à l'accession du peuple québécois à la souveraineté. »

MUNICIPALITÉ
L'Anse-Saint-Jean
DÉCOUVREZ
LES QUATRE SAISONS DU FJORD!

Bienvenue
dans notre
Royaume

Et il conclut qu'il faudra donc élire un représentant de la souveraineté québécois au sein du Canada:

« Monsieur Lucien Bouchard, par exemple, pourrait facilement jouer ce rôle fondamental. (...) Mandaté directement par le peuple québécois, "notre" lieutenant-gouverneur ou "notre" souverain pourrait donner le temps nécessaire au gouvernement pour négocier le nouveau rapport du Québec au Canada à l'intérieur ou à l'extérieur de la Confédération canadienne, selon le résultat du référendum. (...) Le Québec restaurerait ainsi son pouvoir de négociation, quelle que soit l'issue du référendum, en séparant les fonctions du chef de l'État de celles du chef du gouvernement. »

Ce choix monarchique fait-il de Denys Tremblay un penseur politique réactionnaire? À plusieurs reprises, Denys Tremblay se déclare antimoderniste. Abordant le thème « Art et réalité » dans un texte qui prend le ton d'une diatribe et est signé par l'Illustre Inconnu, il accuse:

« Victimes! Oui... Nous sommes tous victimes de la modernité! Nous nous entassons de plus en plus dans des cages à poules à la Klee. Tous, nous affrontons journellement une violence psycho-physique à la Burden. »

Dénonçant « une réalité performante, une

1. *Panneau routier marquant l'une des bornes d'entrée du royaume*

Je veux que
Monsieur Lucien Bouchard
choisi par l'Assemblée Nationale du Québec
soit élu

☐ **LIEUTENANT-GOUVERNEUR** du Québec
avec mandat de garantir constitutionnellement un renouvellement
du rapport entre le Québec et le Canada?

OU

☐ **SOUVERAIN LÉGITIME** du Québec
avec mandat de garantir constitutionnellement la souveraineté du Québec
et son association avec le Canada?

1. *La question référendaire proposée par l'Illustre Inconnu à la Commission sur l'avenir du Québec en 1996*

2. *La maison Villeneuve dans le Musée de la Pulperie selon le concept d'intégration de Denys Tremblay*

modernité accablante», il s'en prend – il faut le relever – à un faux roi qu'il juge emblématique de la modernité:

«Bokassa Iᵉʳ aura été dans ce contexte le plus grand des artistes contemporains. La seule performance de son auto-couronnement aura englouti le quart du budget national de l'un des pays les plus pauvres du globe.»

Puis, il émet des jugements sévères sur l'engouement actuel pour la technoscience et pour l'informatique. Il vitupère:

«Cette armada électronique et balistique nous entraînera dans le plus essoufflant programme de l'histoire. Ce grand cri primal technologique concrétisera à lui seul la plus grandiose des transgressions formalistes, la plus radicale des ruptures historiques. Entérinant à jamais la réalisation du projet moderniste des idéologies universalistes et scientifiques, nous serons enfin tous pareils, égaux, libres, sans impôt ni taxation, sans institution pour gérer notre échec individuel et collectif.»

Manifestement, il reproche au mouvement technoscientifique occidental ses normes métropolitaines et son esprit de conquête de la planète, qu'il menacerait ainsi d'uniformisation. Sous le titre «art et désespoir», il se désole plus loin de l'impact spectaculaire et souvent morbide de la télévision et des «massue-médias» et appelle à «résister». Il prend dès lors parti, non

sans l'amertume de quelqu'un qui semble blessé par l'arrogance métropolitaine, pour le «désabusement lucide d'une majorité de banlieusards, de femmes, de tout-ce-qui-n'est-pas-blanc-homme-militaire-et-vertical. Majorité qui a abandonné l'idée même d'exister tel que le propose le modèle historique métropolitain.» Il en appelle aux «paraphériques». (LFM, 12-13)

Dans un entretien avec Christiane Laforge, journaliste au *Quotidien* de Chicoutimi, il évoque à nouveau, avec un certain pessimisme, la «banale originalité» et la «fatalité existentielle» de tout un chacun. Il note une «impuissance communicative» de ses contemporains et critique leur incapacité à faire plus que «transformer radicalement leur quotidien d'aujourd'hui à l'image exacte de celui d'hier». Et il conclut: «Non seulement le progrès n'existe plus, mais sa notion même s'effrite.» (LDB, 162).

En optant pour l'uniforme et les postures anachroniques de l'Illustre Inconnu, et plus encore en adoptant le personnage d'un roi et tout le protocole rigide qui est associé à un tel rôle, Denys Tremblay n'affirme-t-il pas une fois de plus l'orientation réactionnaire de sa démarche? Mieux encore, en adoptant la religion, en se faisant couronner dans une église, ne confirme-t-il pas son refus du modernisme?

N'a-t-il pas prêté serment, le jour de son couronnement, d'être «un Roi très chrétien défenseur de Dieu et de ses églises»? Une fois de plus il énonce ses choix avec autant d'audace que de clarté:

«Je partageais effectivement avec Villeneuve la même relation avec l'institution artistique que le peintre Villeneuve et le frère André entretenait avec l'institution religieuse. Villeneuve n'hésite pas à placer une image du frère André dans l'une des fresques de sa maison. Je n'hésite pas à placer la maison Villeneuve au centre de l'exposition circulaire au Musée de la Pulperie. C'est sans aucun doute pourquoi je l'ai tant défendue en tant qu'artiste, professeur et en tant qu'Illustre Inconnu.

«Je m'explique: l'art, comme la religion, n'est pas complètement une affaire institutionnelle comme le voudrait encore une certaine conception duchampienne de l'art. Duchamp a démontré que l'institution artistique a le droit de

décider à son rythme de ce qui est de l'art et de ce qui pourra le renouveler. Beaucoup rejettent la religion ou l'art contemporain pour les mêmes raisons de dogmes, d'images et de postures conventionnelles, qui demeurent sous contrôle des institutions, les unes religieuses, les autres artistiques. Des expressions humaines profondes échappent parfois pour un temps aux conventions imposées par le pouvoir institutionnel, qu'il s'agisse de la Maison-Œuvre-Atelier de célébration plastique de Villeneuve, de la Maison-Oratoire-Atelier de célébration céleste du frère André (qui habita dans le premier oratoire qu'il construisit) ou de la Maison-Château-Atelier de célébration terrestre du roi de L'Anse. La maison Villeneuve était pour le peintre "son château intime", l'oratoire était pour le frère André sa "maison intime" et le château du roi était son "oratoire" dédié à son pays intime avec ses salles dites "bleu des océans", "vert des continents", "jaune des moissons" et "blancs des mariées" (qu'énonce l'Hymne royal).

«Bien sûr, nous avons tous les trois été condamnés à la raillerie "naïve" ou "savante" parce que nos œuvres humaines inversent non seulement le pouvoir des décideurs mais brouillent aussi

1. *Fresque intérieure dans le salon du sacré de la maison Villeneuve représentant l'Oratoire Saint-Joseph*
2. *L'image du frère André, seule représentation non peinte par l'artiste dans sa maison*

la nature des décisions à prendre. Nous sommes tous classés dans "la catégorie autre" parce que nous valorisons "l'Impouvoir périphérique" plutôt que les minuscules et puissants pouvoirs métropolitains.» (C, 20. 12. 08)

On pourra se questionner sur les limites de cette identification du modernisme avec la norme métropolitaine, qui pourrait conduire à la défense non seulement des particularismes régionalistes, voire des folklores anachroniques, ce qui est certes une nécessité absolument légitime, mais aussi à un refus de la modernité qui peut sembler inadapté aux rapports de force du monde actuel. Il réplique:

«Franchement, est-ce moi qui suis anachronique avec ma monarchie municipale ou les Québécois et les Canadiens avec leur reine étrangère? Est-ce moi qui suis dérisoire ou eux, nous tous par extension? Est-ce moi qui suis réactionnaire ou ces petits pouvoirs métropolitains qui n'en finissent pas de se nourrir du statu quo? Est-ce moi qui suis mégalomane ou eux qui souffrent de minimalomanie? Est-ce moi qui suis téméraire ou eux qui sont peureux? J'ai écouté mon instinct et je n'ai pas pris ce bateau collectif qui est en train de couler maintenant.» (C, 21. 12. 08)

Tout compte fait, Denys Tremblay est beaucoup plus anachronique que réactionnaire. Anachronique, il est même profondément actuel parce qu'ancré dans la réalité québécoise. Un «anachronique actuel»? La formule n'est-elle pas tout à fait légitime pour un Illustre Inconnu? Et il le justifie ainsi:

« J'ai beaucoup réfléchi sur ma posture apparemment anachronique. Pour un moderniste, toute reprise du passé est anachronique parce qu'elle met l'accent sur des valeurs qu'il faut rejeter pour être enfin moderne et tourné vers l'avenir. Pour un post-moderne, ce passé doit être repris mais avec la perspective du présent que l'on rend plus authentique et intense, sans l'illusion d'un avenir hypothétique. Les Québécois n'ont aucun passé républicain et ils ont fait une révolution tranquille parce qu'ils ont en mémoire les dommages collatéraux des cruelles révolutions française et américaine. » (C, 16. 01. 09)

Et lorsqu'on l'interroge encore, sa réponse ne dévie pas de cette réflexion politique approfondie qu'il a menée assez loin pour être capable de passer à l'acte lorsque s'est présentée la possibilité d'incarner une solution monarchique pour le Québec. Il propose de dépasser le stade actuel des deux grands pouvoirs, le métropolitain et le capitaliste:

« L'idée centrale de ma réponse est l'idée du récit. Dans ce sens, je suis résolument anti-moderne sur plusieurs points (ou postmoderne, c'est presque la même chose). Le territoire pour moi est d'abord un récit, le Québec ou ma région est avant tout un récit, l'art également. Un récit "autre", que je n'ai pas choisi mais qui deviendra mien. Je ne crois plus qu'il faille se couper du passé (personnel ou collectif), en faire *tabula rasa*, mais je pense qu'il faut l'assumer, le comprendre avec son meilleur et son pire. Je ne suis pas révolutionnaire, je suis roi-volutionnaire. Je ne veux pas entamer un nouveau récit sans passé mais continuer un récit commencé par d'autres avant moi. Je crois plutôt qu'il faut le détourner, le réorienter si possible.

« Je pense à la fameuse phrase de Durkheim: "Celui qui possède son présent possède son passé, celui qui possède son passé possède son avenir." S'installer dans un récit, a fortiori s'il est social ou collectif, permet de se projeter, de se mettre dans la perspective d'un projet existentiel qui n'est pas seulement personnel. Cela permet aussi de mettre l'accent sur le projet, le processus plutôt que sur l'œuvre, ou sur le résultat. Cela permet aussi de "jouir" davantage des "bruits" du contexte du développement du récit plutôt que de "contempler" la pureté de l'œuvre séparée de son contexte. Tout art est local et ce sont les localités révélées par les œuvres qui en constituent l'intérêt, la cohérence ou la pertinence. Bref, j'essaie de faire un art post-capitaliste, dépassant ce stade du capitalisme dont l'art contemporain ou actuel ou international est essentiellement l'expression. » (C, 21. 12. 08)

Il a assumé sa famille, son passé, et la religion catholique. « Je ne suis pas moderniste. Je ne suis pas de cette logique-là. Je dois assumer mon passé collectif (le bon et le raté). » (conversation) Mais, alors même qu'on reconnaît la réalité troublante de l'expérience tremblaysienne plutôt que de la traiter comme une histoire-fiction, la question revient inmanquablement: quel est le pouvoir réel de l'artiste? En prétendant subvertir la réalité, ne s'est-il pas bercé d'illusions? Qui croit encore que l'art peut changer le monde? Même en prenant un habit de roi? Marcel Duchamp a revendiqué un véritable pouvoir de chaman en transformant un urinoir en œuvre d'art. Mais c'est plutôt l'institution artistique qui détient réellement ce pouvoir magique. Certes, pour devenir roi, l'artiste doit se soumettre aussi à des institutions, celle de la démocratie référendaire et celle de l'Église. Mais dès lors qu'il est élu, son pouvoir n'est plus magique ou symbolique. Il doit réellement performer, convaincre les médias, trouver des appuis corporatifs et obtenir de l'argent. C'est toute la différence entre le ready-made de Marcel Duchamp (le réel devient de l'art), et le *really-made* de Denys Tremblay (l'art devient du réel). Il est juste d'y voir, comme le suggère Jean-Pierre Vidal, un «simulacre inversé», précédant et appelant le réel plutôt que le suivant. Denys Tremblay le note: «Le ready-made fait appel au passé déjà fait, tandis que le *really-made* fait appel au futur à réaliser.»

Le projet monarchique de Denys Tremblay était évidemment extrêmement audacieux et singulier. Réalisable? Oui, il le fut, mais seulement trois ans. Le levier était sans doute trop atypique pour pouvoir faire dévier la machine politique globale, et trop faible pour s'opposer à la force d'inertie réunie du Québec et du Canada. Alors faut-il reconnaître l'échec du roi Denys Ier? Sur le plan monarchique, le roi a abdiqué. Mais sur le plan constitutionnel, le Québec et le Canada ne font jusqu'à présent guère mieux. Denys Tremblay l'explique ainsi:

«Je ne suis pas le seul à penser que l'échec des deux référendums vient du fait que le projet de souveraineté était trop moderniste, dans le sens où il faisait tabula rasa du passé canadien français pour être "moderne". Pour les tenants de cette école, la souveraineté apparaissait comme la suite logique de la révolution tranquille toute récente (la rupture), alors qu'elle aurait dû être l'aboutissement de notre passé lointain avec sa tradition parlementaire et chrétienne, quitte à la modifier ou à l'adapter plus tard. La résurgence du "nous" actuel est bien une résurgence typiquement post-moderne où le passé peut et doit être repris d'une autre manière pour rendre le présent collectif plus intense et plus authentique avec des accommodements plus raisonnables pour un peuple qui se voit dorénavant comme une majorité. Le drame de René Lévesque est qu'il a perdu deux fois: une première fois lors du référendum de 1980 et une deuxième fois lorsque le Canada a refusé son "beau risque" (l'accord du lac Meech et son prolongement l'accord de Charlottetown). Son projet et son compromis ont été refusés sans possibilité de retour. S'il avait démissionné après avoir perdu le premier référendum, il n'aurait perdu qu'une fois, mais avec la fierté des gens qui se tiennent debout; et il aurait clos définitivement la stratégie de rupture de la révolution tranquille moderniste pour s'engager dans l'autre ère, post-moderne, où l'important n'est pas d'être nouveau, mais différent. Ce vide momentané du pouvoir (ou cette expression radicale de l'"impouvoir") ne pouvait que générer une profonde réflexion du peuple québécois, qui a toujours dit non aux référendums de son histoire sans "assumer" les conséquences de ses décisions. Je crois que ce vide du pouvoir aurait été salutaire tout en nous évitant les humiliations et en permettant, soit la pleine affirmation québécoise dans le Canada (le fédéralisme renouvelé), soit la pleine affirmation québécoise comme pays (la souveraineté-association).» (C, 16. 01. 09)

Nous demeurons dans l'attentisme. Sachant cependant qu'en politique tout est toujours possible, on ne jurera de rien pour l'avenir. Sur le plan artistique aussi, le roi artiste peut espérer voir réaliser son œuvre environnementale spectaculaire Saint-Jean-du-Millénaire. Mais si cela n'arrive pas, l'artiste est-il comptable du réel. La valeur de l'art se mesure-t-elle à sa réalisation? Ou à sa divergence? Certes, Denys Tremblay a espéré réussir, soulignant «courir tous les risques, mais pas les risques impossibles». L'art actuel prend souvent la forme d'un processus, d'une performance, voire d'une attitude, qui ne se limite pas à une œuvre matérielle. La monarchie de Denys Tremblay demeure donc pleinement recevable comme chef-d'œuvre artistique. Et il pourra trouver là plus d'un titre de satisfaction.

Dans son rapport d'activité universitaire pour l'an 2000, il déclarait vouloir écrire «sur la dimension artistique de la monarchie de L'Anse. Cette dimension, ajoutait-il, a été occultée par la presse et elle donnait pourtant tout son sens véritable à cette entreprise inédite. Cette intervention se voulait en parfaite continuité avec le concept de *really-made* de ma thèse de doctorat». Certes est-ce un prix de consolation pour celui qui a voulu que l'art se dépasse dans le réel et se transforme en le transformant? Pourtant le lecteur devra bien admettre que roi, il l'a été, et qu'artiste, il le demeure. L'abdication même ne supprime pas le titre de roi, mais seulement son exercice. Seul un référendum peut en effacer un autre, comme le rappelait un article de *L'écho municipal* du 9 janvier 1997 intitulé «Toute la vérité sur la monarchie de L'Anse-Saint-Jean». Et en art, l'abdication n'existe pas. L'œuvre demeure.

1. *Diplôme de doctorat de l'artiste transformé en* really-made *diplômatique*

L'artiste
philosophe

Platon n'aimait pas les artistes, ni les peintres, ni les poètes. Il les accusait d'être au mieux de mauvais imitateurs de la vérité, au pire des menteurs, des fabricants d'illusions, de fables, de simulacres, d'hallucinations, bref, des charlatans: «Les poètes créent des fantômes et non des réalités.» (*La République*, livre X, 595c-599a). Platon reprochait aux artistes d'abuser de nos sens et aux sophistes de tromper notre raison. Il les condamnait au nom de la philosophie, qu'il définissait comme la recherche du vrai et du bien. Il craignait donc l'influence pernicieuse des artistes et voulait les chasser de la Cité. Il aurait rejeté a fortiori toute idée d'un artiste roi. C'eût été introduire le loup dans la bergerie.

L'Ubu Roi d'Alfred Jarry ne lui aurait pas donné tort! Le Père Ubu se délecte dans la provocation, l'absurdité et la farce triviale. Son comique grinçant nous sert une satire des pires facettes de la dictature. Amateur de titres, comme le sera le chef de Cabinet des aisances protocolaires de l'Illustre Inconnu, mais en moins inventif, Ubu Roi se déclare «capitaine de dragons, officier de confiance du roi Venceslas, décoré de l'ordre de l'Aigle Rouge de Pologne et ancien roi d'Aragon». La Mère Ubu le convainc de renverser le roi Venceslas, en soulignant que cela lui permettra de «manger fort souvent de l'andouille» et de se «procurer un parapluie». On y trouve des dialogues du genre: «Eh bien, capitaine, avez-vous bien dîné? – Fort bien, monsieur, sauf la merdre. – Eh! La merdre n'était pas mauvaise.» Conclusion: chacun jure «de bien tuer le roi».

Alfred Jarry est aussi le fondateur de la pataphysique, qu'il définit comme la «science des solutions imaginaires», et, plus académiquement même, comme une «science qui accorde symboliquement aux linéaments les propriétés des objets décrits par leur virtualité». Bien entendu, seuls les membres du «Collège de pataphysique» rédigent des thèses sur le sujet. Ainsi, Boris Vian, l'un de ses disciples les plus convaincus, suggère qu'«un des principes fondamentaux de la pataphysique est l'équivalence. C'est peut-être ce qui explique ce refus que nous manifestons de ce qui est sérieux, de ce qui ne l'est pas, puisque pour nous, c'est exactement la même chose, c'est pataphysique». Denys Tremblay, grand inventeur langagier et adepte de l'humour lui aussi, en fait une méthode du penser et du parler autant que du paraître. L'enflure oratoire des titres dont il s'affuble, et le sérieux qu'il leur accorde, le mettent toujours sous tension. Ainsi, il n'hésite pas à imposer des «Prolégomènes laxatifs» à «Son Immanence, le chef des aisances protocolaires» (LDB, 80). Et cela rééquilibre, comme il l'a souligné lui-même, l'excès kitsch de ses attitudes. Ce grain de sel est de la plus grande importance, car il sauve toujours du ridicule la théâtralité de ses démarches. Il contribue finement à l'équilibre de l'œuvre. En ce sens, il n'est pas éloigné du Collège de pataphysique, devant lequel il aurait pu soutenir sa thèse de doctorat encore mieux qu'à la Sorbonne, puisqu'il ne se prive pas de rappeler devant son jury, en présentant le volume imprimé et relié de sa thèse, «les règles régionalistes de l'art: la hauteur des aspirations, la largeur des vues et la profondeur des idées» (LDB, 89). Ces attributs hautement universitaires peuvent être rapprochés de cette annonce de Boris Vian dans l'avant-propos de *L'écume des jours*, dont il nous annonçait que «sa réalisation matérielle proprement dite consiste essentiellement en une projection de la réalité, en atmosphère biaise et chauffée, sur un plan de référence irrégulièrement ondulé et présentant de la distorsion». Denys Tremblay s'est d'ailleurs intéressé à la pataphysique:

«Je m'intéresse à l'exception, au particulier, à la périphérie plus qu'au centre, pour comprendre le monde qui m'entoure. Dans ce sens, je suis vraiment un "patacesseur". La pataphysique serait la science des solutions imaginaires, certes, mais c'est aussi l'art des questions paradoxales dont les réponses ne peuvent subvenir qu'en dehors de celles-ci. Et c'est bien ma position dans la conférence sur "Le référendum en questions" prononcée par l'Illustre Inconnu à la Commission sur l'avenir du Québec. Je m'intéresse à l'entropie comme Smithson, le père du land art, la concevait, à l'absurdité de l'homme et de la

vie en général, menant inexorablement à la mort personnelle et collective. Étonnamment, les guerres meurtrières produisent souvent des types d'art "libérateurs". La première guerre a provoqué la réaction du dadaïsme et ses suites, la révolution russe le constructivisme. L'origine du théâtre de l'absurde doit être cherchée dans le traumatisme et la chute de l'humanisme après la Deuxième Guerre mondiale. Par des processus de distanciation et de dépersonnalisation, ce théâtre démonte les structures de la conscience, de la logique et du langage. Vu sous cet angle, l'art serait en définitive une sorte de miroir sociétal offrant l'image rigoureusement inversée de la monstruosité humaine. Nous avons grâce à l'art une vision inversée de nous-mêmes; et un artiste, s'il est conscient de cette inversion caractérisée, peut inverser à son tour systématiquement les paramètres de sa production et offrir ainsi une image exacte de cette monstruosité. Le roi de l'Anse montre clairement et démontre la logique d'une reine étrangère oubliée (cachée) derrière un gouverneur général et un lieutenant-gouverneur bien québécois. Je m'en suis libéré par ma pratique d'artiste, mais je n'aurai jamais le prix du Gouverneur général.» (C, 31. 12. 08)

Patacesseur, Denys Tremblay l'est donc, mais dans l'option opposée à celle d'Alfred Jarry. Il use lui aussi de l'humour et de la provocation qui déstabilisent les préjugés, mais ne se complaît pas dans la satire de la société et du pouvoir. Il

1. *Blason de l'Internationale Périphérique où le R et le F de la République française deviennent une devise féministe et régionaliste*

cherche plutôt des options alternatives d'évolution.

Reprenons ici les principaux thèmes de sa philosophie, en commençant par la pensée paradoxale. Denys Tremblay aime inventer et multiplie ce que les linguistes avertis appellent un *oxymoron*. Il ne s'agit pas d'un invertébré, d'un verre de terre, mais bien d'une élégante formule de style, qui synthétise deux idées opposées et en propose la résolution dialectique, ou, comme il préfère le dire: *prothésique*. Ainsi, la beauté du laid, l'infiniment petit, ou une obscure lumière sont des formes classiques d'oxymoron:

«Ma formule stylistique est l'oxymore permettant non seulement de réunir deux oppositions fondamentales, mais de les transcender mutuellement en devenant totalement autre chose.

Cette trinité du sens est omniprésente dans la mise en scène autant de l'Illustre Inconnu que du roi (monarchie municipale, monarchie démocratique). J'use de multiples formulations qui sont des oxymores: je me souviens de mon avenir, Illustre Inconnu, Internationale Périphérique, je me Régionalise, je me Féminise (qui reprend le R et le F de la République française, etc.) La blague, c'est que c'est vrai! La dérision, c'est que c'est réel! Le bouffon (l'artiste) s'est non seulement assis sur le trône, mais il a remplacé le roi fondamentalement (symboliquement). Imaginons que Saddam Hussein se soit mis un bonnet de bouffon sur la tête lors de sa pendaison. Ce geste aurait transformé cet acte final en acte d'art, idéalisé dans la sphère artistique… je ris encore d'imaginer la tête de ses exécuteurs!» (C, 20. 09. 08)

Mais Denys Tremblay ne retient pas de la pataphysique la dénonciation de l'absurdité du réel, ni la déconstruction sociale sous forme de «solutions imaginaires» au sens de leur décalage *irréaliste*. Il ne se livre pas davantage à la dérive surréaliste, mais cultive plutôt la flexibilité de la pensée qui permet d'échapper aux lieux communs de l'idéologie sociale. Il se fonde sur l'imprévisibilité inhérente à la vie, et sur la créativité de l'imagination capable de nous faire entrevoir des solutions divergentes et innovantes *réalistes*. Bref, il croit aux solutions imaginatives et non pas aux «solutions imaginaires» dont la nature pataphysique est évidemment de n'être aucunement des solutions, mais seulement une satire. Le *really-made* est à l'opposé de la moquerie du réel et de tout cynisme. Denys Tremblay est en fait soucieux d'inscrire ses solutions dans la réalité. Il exige de son chef de cabinet des aisances protocolaires (lui-même) de ne tomber ni dans «un conceptualisme esthétique qui ne produirait pas des rapports sociaux satisfaisants», ni dans «un activisme social qui ne produirait pas des rapports esthétiques satisfaisants». (LDB, 170) Il précise:

«Toute solution réaliste ne peut être que paradoxale (c'est-à-dire en dehors du point de vue où l'on place sa problématique existentielle). Par exemple, je ne m'intéresse pas à l'alternance des pouvoirs (les révolutions après les dictatures sont si décevantes). Je pense plutôt à mettre l'"impouvoir" au pouvoir, momentanément, bien sûr. La théorie pataphysicienne du clinamen est hallucinante de vérité. Dans un labyrinthe de sens et dans les transferts de lecture d'un niveau à l'autre, il y a toujours des résidus conceptuels ou perceptifs qui vont "dévier légèrement dans leur chute" et aboutir ailleurs. Ces résidus périphériques sont comme dans un ascenseur qui n'a pas de mémoire. Ils abou-

tiront là où le premier utilisateur va l'appeler. Mais ce dernier ne pourra prédire vers quel étage il finira par arriver. L'art, c'est l'art de prendre l'ascenseur de la vie en ne sachant pas à quel étage nous débarquerons. Pour moi, l'œuvre n'est pas un résultat imaginaire et personnel, mais une expérience d'imagination de soi et des autres. La carrière artistique n'est pas seulement une vulgaire entreprise de positionnement (social, institutionnel ou communautaire), mais une aventureuse entreprise de déplacement dans les étages sociaux, institutionnels et communautaires.» (C, 31. 12. 08)

Pourquoi l'image de l'ascenseur? Parce que, note Denys Tremblay, à l'université Paris VIII-Vincennes où il a fait sa thèse, «il y avait un ascenseur sans mémoire, un ascenseur permettant la dérive expérimentale des situationnistes»! (C, 18. 01. 09)

Et comme on ne saurait philosopher sans mots, Denys Tremblay aime les jeux de mots. Il n'exclut pas de se penser comme le bouffon du roi, qu'il est devenu, au risque d'auto-lèse-majesté. Il ne déteste pas la contrepèterie dadaïste. Mais il s'emploie surtout à déconstruire systématiquement les usages linguistiques où nous sommes enlisés, en les parodiant, en les détournant, en les inversant, en les bousculant et en inventant de nouvelles formulations qui ne manquent pas de nous questionner. Il a le goût des métaphores qui prennent les mots à la lettre. Ainsi adoptet-il des chaussures de plomb lors de sa visite d'Illustre Inconnu à l'université de Chicoutimi pour en souligner la lourdeur bureaucratique. Il échafaude des organigrammes de sa charge d'Illustre Inconnu et de l'institution royale, qui parodient les administrations habituelles et les très sérieux intitulés d'usage. Ainsi, outre le Cabinet des aisances protocolaires, établit-il le Service de la Preuve Ultime (S.P.U.A.R.), où il tamponne et numérote en conséquence chaque document, le Laboratoire d'analyse non-scientifique, la Direction de la vérification post-historique, le Feuilleton sous-officiel, les États Généraux et la Basse Autorité. Il conçoit dans son Protocole «la stupéfiante cérémonie du silence périphérique», le Non-Smoking Écologique, la Région d'Honneur et l'Ordre du Grand Territoire Androginal, le rideau péri-colonial, les visites sous officielles, la Banque des Opérations d'Art périphérique (B. O. A.), qui rappelle que «dans les circonférences inaugurales tout tourne en rond autour d'un sujet». (C, 18. 01. 09) Et il proclame la Déclaration unilatéral d'interdépendance des périphéries, ou la Charte muniverselle des droits des périphéries. Le Fonds monétaire international devient dans le territoire de Denys Tremblay le Fonds Monnayable Imaginatif. La fameuse loi 101 québécoise devient sous son règne la Loi Sans Un Oubli. Parodiant la Loi sur les mesures de guerre du gouvernement Trudeau face à l'insurrection québécoise, il rédige la Proclamation concernant l'état d'insurrection métropolitaine réelle ou appréhendée sur le territoire québécois, puis la Promulgation concernant la Loi sur les mesures de Paix sur le territoire québécois. Il entend déclarer unilatéralement l'interdépendance des périphéries. Il réplique ainsi aux malheurs de l'histoire récente du Québec, comme pour les exorciser en s'en riant. Et pour se faire élire roi démocratiquement, il organisera à son tour un référendum, celui-là gagnant à plus de 73%!

Un autre de ses thèmes philosophiques est incontestablement celui des rapports entre l'imaginaire et le réel. Et il a développé une théorie de l'inversion en jouant sur la métaphore du miroir:

«L'art est, dit-on, le miroir de la société. Elle y présente d'elle-même une image inversée horizontalement (la gauche est à droite et inversement) mais non verticalement (le haut reste en haut). Comme nous, la société n'a d'image d'elle-même qu'inversée. Elle peut reconnaître les autres sociétés dans une photographie mais jamais complètement son propre visage qui lui apparaîtra peu ressemblant. À travers le miroir de l'art, elle reconnaîtra facilement le portrait peu flatteur des autres sociétés, mais pas ses propres injustices. Elle finira par se reconnaître seulement si l'artiste inverse l'image inversée, plus précisément s'il réussit à inverser horizontalement et non verticalement son image.

1. Plaque dévoilée par l'Illustre Inconnu dans sa maison natale
2. Illustrissimes salutations périphériques à l'entrée du Musée du Saguenay
3. Conférence de l'Illustre Inconnu aux étudiants en arts de l'université

«La réaction sociale d'opposition à la monarchie municipale de L'Anse-Saint-Jean s'explique parce qu'elle s'y reconnaît. Lorsque la société élit un roi, elle reconnaît ce qu'elle ne voulait pas voir: elle a comme chef d'État Sa Majesté Elisabeth II. Face à cet art provocateur, elle n'a plus d'autre choix que de casser le miroir inversé ou de s'embellir afin que son image lui soit tolérable. C'est douloureux pour l'artiste lorsqu'il se fait casser par le système, mais c'est satisfaisant de voir que l'on ne fait pas que de l'art idéal et irréel.» (C, 21. 12. 09)

Denys Tremblay a donc choisi de polir un miroir inhabituel celui qui nous présente une symbolique symétriquement inversée du réel. Considérant que le Canada a volé tous nos symboles, il propose qu'un lieutenant-gouverneur soit élu et devienne notre roi, qui ne pourra plus parler et agir qu'au nom de nous-mêmes. S'opposant à l'esthétisme irréel de Duchamp et au formalisme dogmatique de Greenberg, il déclare :

« J'ai toujours en tête l'image de la spirale avec, à chaque extrémité, une flèche. Duchamp pointait sa spirale artistique vers le point central et a créé *Étant donnés*. J'ai pointé la mienne vers l'extérieur, ce qui a abouti à "N'étant reçu", qui est la monarchie anjeannoise. J'ai préféré décentrer ce processus artistique en spirale, l'ouvrir dans l'autre sens, pour embrasser le monde par l'art, pour résonner dans cette vie qui nous entoure. » (C, 13. 01. 09)

En fait, Tremblay passe souvent de l'autre côté du miroir, comme il le dit parfois, tant il incarne les rôles qu'il se donne. Mais il préfère se tenir dans cette zone étroite de l'art et de la vie, où il passe d'un côté ou de l'autre sans même s'en rendre compte, où il fusionne le réel et l'imaginaire, pourrait-on dire, dans l'épaisseur du miroir, et agit des deux côtés à la fois. C'est cette posture instable, volatile, qui est précisément créatrice et efficace, et qui lui permet de présenter réellement à la société le reflet inversé auquel il veut la confronter, afin qu'elle se regarde et se découvre. Il use d'une sorte de miroir socratique qu'il exhibe selon cette formule collective : « Connais-toi toi-même ! »

Ne faut-il pas, pour exécuter cette danse funambulesque sur le fil du miroir être un artiste ou un philosophe ingénu ? Cet uniforme, cette couronne, ces gestes, cet optimisme qu'exige l'engagement social de Denys Tremblay ne sont-ils pas de la plus grande des naïvetés ? N'a-t-il pas manqué cruellement du minimum de réalisme qui lui aurait évité de s'aventurer ainsi dans des entreprises que les uns pourront juger enfantines, les autres incongrues ? On peut se demander s'il n'y a pas une sorte de naïveté comparable entre l'œuvre d'Arthur Villeneuve et la démarche même de Denys Tremblay, une sorte de parenté qu'il ressent, lui, le roi, avec le barbier-peintre Arthur Villeneuve, dont il a tenu à sauver la maison peinte. On est frappé par la passion de Tremblay, qui a consacré beaucoup d'énergie à assurer l'acquisition de la maison, en faire un relevé détaillé et son transport dans l'ancienne Pulperie. Dans l'étude qu'il lui a consacrée, on le voit nommer lui-même chaque pièce de la maison avec un vocabulaire étonnant, qu'il cherche à adapter à l'œuvre, mais dont la poésie naïve demeure troublante. Il désigne ainsi :

Les salons de l'identité

- Le salon profane

- Le mur du commencement

- Le salon sacré

La cuisine de l'appartenance :

- La cuisine des alentours

- Le mur de la Pentecôte

- Le recoin 57-75

- L'escalier panoramique

L'étage du souvenir :

- Le palier de travail

- L'atelier de mémoire

- La chambre des honneurs
L'extérieur de la continuance
  - La fresque des légendes
  - Le solage de la fin
  - La fresque de la rive sacrée
Denys Tremblay précise:

«J'ai choisi de classer les œuvres d'Arthur Villeneuve selon quatre thèmes: le sus-conscient, la continuance, la préhistoire, l'almanach régional. Une sorte d'animisme naturel. Arthur Villeneuve est un narratif. Il est surréaliste. Il est religieux. Et il déploie un imaginaire quelque peu mythique. Les noms des pièces à l'intérieur sont les miens et non ceux de Villeneuve. Ce choix a été dicté par des impératifs pédagogiques. Ce fait avait d'ailleurs interpellé les décideurs modernistes qui n'aiment pas ce type d'information venant de l'extérieur de l'œuvre. Cela ne m'empêche pas d'apprécier certains termes villeneuviens comme le "sus-conscient", (terme plus près de la transe, de l'abandon, de la possession que de la psychiatrie) ou comme la "continuance" (terme désignant un processus visuel et sémantique). Ces termes peuvent être attribués à mon travail d'artiste, assurément.» (C, 9. 12. 08)

Et si l'on pose la question de la naïveté directement à Denys Tremblay, on découvre que sur ce point encore, il a élaboré sa pensée avec une grande liberté philosophique et qu'il innove:

«Dans un sens, tout artiste est naïf, car il faut l'être pour créer dans ce monde capitaliste où rien n'a de sens s'il ne produit pas du profit pour quelques-uns au détriment du plus grand nombre. Les rêveurs rêvent, les exploiteurs prennent les rêves des rêveurs et les exploitent. Ils vivent dans un tel luxe qu'ils font rêver les rêveurs. Au terme naïf, je préfère le terme "instinctif". Il faut se fier à son instinct pour réaliser des œuvres autonomes et indépendantes des idéologies artistiques (ou religieuses) dominantes. Villeneuve est un artiste qui a posé les grandes questions de l'art d'aujourd'hui "instinctivement". Contrairement au terme "naïf", le terme "instinctif" ne s'oppose pas au terme "savant". Tout être instinctif reçoit un appel intérieur qui le pousse, contre sa raison quelquefois, à agir et persévérer différemment de la majorité. Tout être instinctif écoute des signes extérieurs ou voit des signaux qu'il interprète spontanément et authentiquement. L'intuition n'est-elle pas la source fondamentale de la créativité! L'homme contemporain a peut-être perdu son sens instinctif de la survie en multipliant les intermédiaires entre lui et la nature. Plus il comprend les mécanismes de la nature, plus il la tue. Ce n'est pas la connaissance seule qui va réparer le monde, mais l'instinct humain, qui nous pousse à agir et persévérer différemment.» (C, 9.12.08)

Il y avait déjà réfléchi en rédigeant sa thèse de doctorat, considérant les deux pôles de l'art, naïf et savant:

«Loin d'être un phénomène marginal dans

l'histoire de l'art, l'art dit naïf en constitue au contraire l'une des pierres angulaires, et cela est encore plus vrai en ce qui concerne le vingtième siècle. Rappelons tout d'abord que la naissance de la peinture naïve coïncide avec la révolution française de 1789 et l'abolition des corporations. Tout de suite, donc, le statut de cet art est lié, d'une part, à une remise en question du professionnalisme de la carrière artistique et, d'autre part, à l'accessibilité démocratique à l'expression artistique.» (Tr, 91).

«Au fond, de Gauguin aux Fauves, aux collages de Matisse, aux éclaboussures de Pollock, en passant par les fantasmagories enfantines du Douanier Rousseau ou de Klee, l'art du XXe siècle a cherché à renouer avec le paradis perdu que représente la naïveté au-delà de la sophistication érudite.» (Tr, 91-92).

On admettra que ce point de vue s'applique aisément à beaucoup d'autres peintres de divers horizons, parmi les plus connus. L'artiste Denys Tremblay a raison d'affirmer que tout art est naïf. Il souligne que ce qu'Arthur Villeneuve tente de transformer en peignant sa maison, ce n'est pas l'art, mais le réel (Tr, 94). Et il n'éprouve aucune gêne à déformer la réalité historique, comme dans les tableaux *Le débarquement sur la Côte d'Azur*, ou *L'entrée triomphale du Christ à Bruxelles*, qui laisseraient certainement les historiens pantois. Ce que nous suggère finalement Denys Tremblay, c'est que la condition humaine en général ne peut se concevoir sans une forte dose de naïveté. Comment, sinon, prétendre vivre, et même changer le monde, tout en sachant que nous allons inexorablement mourir? Comme l'a écrit René Crevel, dadaïste et surréaliste, il faut beaucoup de naïveté pour faire de grandes choses (*L'esprit contre la raison*, 1927). Tous ne se suicident pas comme lui à 35 ans. Mais toutes les utopies débordent de cette naïveté qui relève tout à la fois d'une nécessité existentielle et des limites de notre compréhension du monde. Et c'est cette naïveté qui permettra finalement de transformer le monde. La science elle-même est naïve. Quelle que soit l'intelligence et l'énergie que nous pouvons mettre à vouloir nous connaître et comprendre l'univers scientifiquement, nous ne faisons que faire reculer devant nous les illusions de notre propre ingénuité, comme s'éloigne un arc-en-ciel. Le positivisme qui habite la science est d'une grande ingénuité. La religion aussi prête au reproche de naïveté. Et la morale tout autant. Il ne faut donc pas confondre la crédulité, qui est une faiblesse de l'esprit, et la naïveté qui est une condition fondamentale de l'esprit. Certes, le concept de naïveté n'est guère du registre reconnu de la philosophie. Mais c'est à tort, car il est caractéristique de toute ontologie, de toute métaphysique. Et il est naïf de croire que le rationalisme moderne s'est libéré de la métaphysique ou de la théologie. Malgré tous nos efforts pour déployer des trésors d'esprit critique, construire des concepts clairs, démystifier des erreurs, la philosophie elle-même ne saurait échapper à une très grande candeur. La naïveté ne relève pas du folklore ou de l'immaturité. Elle est là, comme un indépassable de notre rapport au monde. Nous croyons vrai ou réaliste ce avec quoi nous sommes familiers. N'est-ce pas la méthode du questionnement naïf, qui fait la vertu de la maïeutique socratique? En ce sens, Maurice Merleau-Ponty n'a pas tort de voir dans la pataphysique une capacité de décalage, de distanciation de nos habitudes perceptives et conceptuelles, qui peut conduire à la phénoménologie. Et toute analyse de la naïveté conduit immanquablement au repérage et au déchiffrage des mythes, donc à la mythanalyse.

Denys Tremblay s'en accommode avec humour:

«Tant mieux! Le monde est complexe… divisé entre les républiques monarchiques et les monarchies républicaines. De même, seuls les croyants doutent, tandis que les athées offrent l'assurance bienveillante de la certitude.» (C, 2. 10. 08)

Cette liberté philosophique de Denys Tremblay tient à la posture intellectuelle périphériste qu'il adopte. C'est grâce à cette distanciation qu'il est capable d'analyse novatrice et de relativisme.

Nous avons vu lors de l'enterrement de l'Histoire de l'art métropolitaine, à Paris, comment il a dénoncé les effets pervers de l'hégémonie métropolitaine, universaliste et colonialiste dans le domaine de l'art. Mais en tant qu'Illustre Inconnu, il est passé à l'étape suivante: la promotion des valeurs opposées, celles du «périphérisme». Il en expose les effets positifs dans tous les domaines: artistique, politique, constitutionnel, et même féministe. C'est d'ailleurs très précisément, ce que signifie le titre d'Illustre Inconnu. Et il insiste avec son autre titre de Très Sous-officier, à la façon du sous-commandant Marcos, le leader charismatique des Indiens laissés pour compte dans les marges de la nation mexicaine. Il l'a affirmé à Paris même, lors de sa soutenance de thèse de doctorat, qu'il signe, à ses risques et périls, du nom de «l'Inconnu de l'Impouvoir Périphérique – Denys Tremblay».

Nous devons donc, dès les années 1980, à Denys Trembay un véritable manifeste en faveur du périphérisme, qui va beaucoup plus loin que ce que nous appelons aujourd'hui, avec l'UNESCO, la protection de la diversité culturelle. Car il s'agit pour lui de bien plus qu'une mesure conservatoire ou de protection des cultures minoritaires ou des valeurs des régions «éloignées», comme le mot l'indique trop bien. Il s'agit

plutôt d'affirmer une égalité, donc de valoriser l'enracinement identitaire local comme source autonome de culture. Nous savons bien que la culture est toujours un champ de bataille des forces politiques, économiques, voire militaires en présence. À l'opposé, ce que revendique Denys Tremblay, en s'inspirant du *Manifeste différentialiste* (1970) du philosophe Henri Lefebvre, c'est «le droit fondamental à la différence et à la minorité» que n'entachera plus aucune volonté hégémonique d'exploitation des territoires de l'autre. (LDB, 91) Il réclame donc l'instauration d'un contre-pouvoir périphérique face au pouvoir central. Dans ses *Prolégomènes laxatifs*, dont l'énoncé humoristique fait écho à ce que j'avais appelé moi-même «l'hygiène de l'art» au début des années 1970, il écrit, en tant que «représentant périlégitime» de cette posture:

«Vous le savez sans doute, nous avons été nous-même un artiste historique avant d'accéder aux plus hautes fonctions de la hiérarchie périphérique. Il nous a donc été très facile de comprendre le malaise existentiel qui caractérise le monde artistique métropolitain dans lequel nous vivions précédemment. Les artistes qui y vivent encore sont aussi malheureux que jadis, occupés qu'ils sont à convaincre leurs congénères journalistes, critiques ou technocrates culturels de leur importance. Il nous a été facile de comprendre les motivations profondes qui poussent nombre d'entre eux à se regrouper en collectif afin de sortir de l'anonymat [C'est évidemment là une pierre lancée dans le jardin de l'auteur de ce livre, co-fondateur en 1974 du collectif d'art sociologique]; à former des galeries afin de faciliter la présentation de leur œuvre personnelle au public; à multiplier catalogue sur catalogue afin de faciliter la reconnaissance de leur importance historique... bref, à tenter de forcer la main à une certaine *histoire* prétendument vivante et internationale qui les remarquerait enfin et leur permettrait d'accéder à des conditions d'existence jugées prématurément enviables.

« N'ayant plus ces problèmes existentiels depuis que nous assumons pleinement notre devoir d'État périphérique, vous comprendrez pourquoi nous aurons tendance dans le récit de ces visites sous-officielles, à nous exprimer avec un détachement qui ne manquera pas d'apparaître à certains comme un dédain, voire de la condescendance. » (LDV, 80).

Et c'est dans le même esprit que Denys Tremblay se fait champion du féminisme face à la domination masculine. Constatant que les femmes sont victimes d'un statut minoritaire dans nos sociétés, il associe périphérisme et féminisme dans l'inscription de la médaille de l'Internationale Périphérique : « Je me Régionalise – Je me Féminise ». Il ne prétend certes pas lui-même, au-delà de cette pétition de principe, jouer aux hommes roses, ni développer une pra-

tique artistique féministe à la place des femmes. Il insiste plutôt sur la notion de «territoire», qui est, selon lui, bien plus d'ordre mental et imaginaire qu'une de distinction géographique ou de sexe :

« 1. La notion de territoire, lorsque nous parlons de Centre ou de périphérie, n'est pas la cause d'actions spécifiques, mais le *produit* de ces actions. (...)

2. La notion de territoire dans l'art dit postmoderniste ne se justifie que par son *expérimentation*. (...)

3. Non seulement le territoire est-il le produit d'actions créatrices se justifiant par son expérimentation, mais, pour nous du moins, il ne devient *légitime* que s'il permet l'inscription de revendications personnelles et circonstancielles. » (*À chacun son territoire*, LDB, 85)

Ainsi, le féminisme est selon lui un territoire de vie, au même titre que le régionalisme. Le périphérisme et la revendication d'un territoire personnel constituent un mode de pensée, une méthode de questionnement philosophique. En se distançant de la pensée dominante métropolitaine, en assumant à l'inverse une pensée locale, un angle de vue périphérique, chacun de nous reconstruit une pensée autonome et libératrice :

« Évidemment, nous sommes tous et toutes le centre et la périphérie de quelqu'un ou de quelque chose, mais seul notre état d'esprit périphérique nous permet de reconstruire une différence et d'affirmer cette différence par l'expérimentation concrète d'un territoire que l'on s'approprie en transformant les monuments commémoratifs de notre aliénation individuelle et collective qui s'y trouve en *sur-symbole* d'un monde nouveau qui a changé les règles du jeu de l'art et de la vie.»

Et s'étonnant que nous ayons pu endurer pendant des siècles la domination de la pensée métropolitaine, qu'elle soit colonialiste, impérialiste, machiste ou marchande, il poursuit:

«La question n'est pas de savoir s'il est juste ou utile de distinguer la notion *périphérique* dans l'évaluation de votre perception du réel artistique et social, la question est de savoir comment vous avez pu vous passer de cette notion pendant toutes ces années. Signé: Denys Tremblay, Illustre Inconnu et Très sous-officier.»(LDB, 85)

Le territoire doit aussi, selon lui, être pensé selon le dispositif de la métonymie (le procédé linguistique qui consiste à nommer la partie pour désigner le tout). Ainsi, en se faisant élire roi de L'Anse-Saint-Jean, donc roi municipal d'un territoire assez étendu, mais typiquement périphérique face à Montréal, Québec ou Chicoutimi, il a en tête l'idée que ce territoire marginal a valeur exemplaire du point de vue politique pour l'ensemble du Québec. Et il y exerce d'ailleurs son non-pouvoir en se référant aux événements importants de l'histoire du Québec.

Allant plus loin encore, sur le plan personnel, il revendique «le droit de tout individu et de tout groupe de vivre son art et, à la limite, de vivre son art de vivre». (LDB, 83)

Ce périphérisme n'est aucunement frileux, revanchard ou agressif. Ainsi, en organisant le Symposium de sculpture environnementale de Chicoutimi, où il a invité, en même temps que de nombreux artistes locaux, une brochette d'artistes internationaux qu'on pourrait qualifier de «métropolitains», il assumait pleinement ce périphérisme qu'il revendiquait et en démontrait le potentiel artistique:

«Nous voulons rayonner à partir du local comme ont pu le faire le dramaturge Michel Tremblay, le cinéaste Robert Lepage, ou le peintre Arthur Villeneuve. Nous revendiquons le local comme plateforme de l'universel.» (MASJ, 3).

Invité par le Centre culturel canadien de Paris le 26 avril 1984, à la suite de l'enterrement de l'Histoire de l'art métropolitaine, il choisit d'y proclamer la Charte muniverselle des droits des périphéries, qui revendique «premièrement la non-discrimination en matière d'idéologie, de géographie et d'histoire». (LDB, 88). Insistant sur «les règles régionalistes de l'art», il rappelle aussi: «Je m'interdis le périphérisme aveugle» (C, 31. 12. 08). Et il en donne de nombreuses démonstrations. Quel que soit le caractère contestataire de cette démarche, Denys Tremblay vise moins la révolte que la transformation du réel:

«Plutôt que la rupture, je préfère le retournement de la perspective que sont le "périphérisme" ou le décentrement. Si nous sommes tous le centre ou la périphérie de quelqu'un ou de quelque chose, ce sera toujours le côté périphérique qui m'intéressera davantage.» (C, 21. 12. 08)

Il a lu Mario Perniola, dont les analyses de la culture sont d'inspiration marxiste. Et il développe une position théorique très articulée sur la nécessité pour l'art d'être local, plutôt que métropolitain et pseudo-universel. Rappelons ici la thèse de Perniola. Il oppose l'excès de reconnaissance sociale qu'obtient la représentation idéaliste de l'art, à l'excès de pouvoir que nous donnons aux valeurs matérialistes de l'économie. Et il souligne que plus l'art se coupe du réel dans une surenchère qui en exagère systématiquement l'idéalité quasi sacrée, plus il laisse le champ libre aux nécessités triviales et réalistes de l'économie. Il traite donc les artistes de banquiers de l'idéal, pour dire qu'ils laissent les banquiers des affaires acheter leurs œuvres pour décorer leurs bureaux, «pendant qu'ils étranglent le tiers-monde» (RR, 9). Partant de cette dénonciation de Perniola, qu'il considère comme l'un de ses maîtres à penser, Denys Tremblay conclut à la nécessité de rapprocher l'Art et la Vie en s'engageant dans une œuvre *totale* qui surmonte leur opposition. Et empruntant à son tour le vocabulaire économique, il se propose, comme artiste, de mener des «transactions avec le réel». Il voudrait se situer à mi-chemin entre l'hypertrophie esthétisante de l'art et la trivialité politique et économique outrancière de la vie quotidienne. Pour ce faire, l'artiste doit selon lui engager sa démarche dans une réalité locale concrète. Il nous propose ainsi un véritable manifeste pour un «art localisé ici et maintenant».

C'est bien ce qu'il a réussi à faire par son engagement d'artiste dans la municipalité de L'Anse-Saint-Jean. Il a travaillé avec des interlocuteurs précis, en temps réel, dans un espace social de proximité et un contexte politique et économique contraignant, qui ne permettent pas d'échappatoire ou de dérive esthétisante abstraite ou purement théorique. Un art engagé est nécessairement sociologique et concret, sans que cela le condamne d'aucune façon à renoncer à une élaboration formelle, à un style ou à une théâtralité, comme il le démontre aussi:

«Le local réémerge partout puisque les opérations et les œuvres, tout à la fois artistiques et économiques, assument pleinement cette appartenance au local. Les contextes physiques et temporels de ces opérations et de ces œuvres sont utilisés artistiquement lors de la conception de l'œuvre et lors du processus de réalisation.» (RR, 10)

Denys Tremblay recourt à la distanciation qui rend possible l'analyse critique. Il use du décalage, du décentrage, du détournement pour permettre la remise en question du lieu com-

mun, du préjugé, bref, de la pensée aliénée par le système idéologique dominant. Il accède ainsi à l'étonnement devant le réel qui fonde la philosophie et qui ouvre la voie à la liberté créative de penser autrement. Comment ne pas reconnaître une autonomie de pensée ahurissante dans la solution monarchiste tremblaysienne, qui apparaît aussitôt politiquement incorrecte, et finalement indigeste pour la grande machine politique qui régit la société. Denys Tremblay rejoint ici le principe de divergence, qui est la clé de l'innovation et de l'évolution, comme j'ai tenté de le démontrer dans un livre précédent, en l'opposant à l'adaptation darwinienne. Toute son œuvre en est l'illustration. Même s'il ne le nomme pas, c'est le principe de divergence que met en pratique l'Illustre Inconnu au nom de l'Internationale Périphérique. C'est aussi la divergence qui permet à l'artiste de revendiquer la posture de l'anachronisme pour se libérer des stéréotypes de la pensée dominante. Il faut beaucoup d'énergie vitale, de liberté intellectuelle et d'audace pour oser concevoir, formuler publiquement et assumer existentiellement ce bouquet de divergences. L'artiste s'est mis ainsi au bord de la rupture sociale à de nombreuses reprises, et en a assumé tous les risques intel-

1. *L'environnement* Le saloon funéraire *créa un remous considérable à Québec lors de sa première présentation en 1973*

lectuels, intimes et professionnels. Et il a conceptualisé avec rigueur ces options théoriques dans de nombreux textes incontournables, intellectuellement aussi élaborés que ses performances publiques. C'est en ce sens qu'on ne peut dénier à l'artiste Denys Tremblay d'être un philosophe tout aussi libre, à sa manière, et aussi provocateur qu'ont pu l'être un Socrate et un Diogène – qui payèrent le prix fort pour leur liberté de pensée. Michel Foucault, abordant la philosophie grecque ancienne des cyniques, soulignait cette possibilité de mettre en scène la vérité par le scandale et par la provocation (*Le courage de la vérité*, 1984)

Serait-il un philosophe sérieux? Bien entendu, Platon aurait rejeté avec encore plus de répulsion toute possibilité qu'un artiste puisse prétendre à la philosophie; à moins qu'il ne renonce au préalable à son art, à ses talents d'illusionniste, pour se consacrer à la recherche pure des idées vraies. Or, Denys Tremblay se situe dans une perspective bien différente, celle du monde actuel, qui a démystifié l'idéalisme platonicien. L'éthique est revenue sur terre, mais plus sous le signe de l'idéalisme, ni de la religion individualiste: elle est désormais sociale et laïque. Et elle donne le devoir au philosophe de s'engager dans la cité au nom de l'esprit critique, de la morale et de la justice sociales. Pourtant, depuis qu'un philosophe comme Heidegger, un psychanalyste comme Jung ou un écrivain comme Hans Günther se sont compromis avec le nazisme, depuis que de très grands intellectuels européens ont succombé aux sirènes du communisme soviétique, leurs successeurs ont perdu une large part de leur crédibilité. L'époque de Sartre, Camus, Foucault, Aron, ou celle des artistes, tels que Picasso, Beuys, Cage, Le Corbusier n'est plus. Nous sommes entrés dans la postmodernité. Denys Tremblay a pris acte de la diminution de leur rôle : « Les intellectuels et les artistes d'aujourd'hui sont condamnés à devenir des médecins légistes ou des embaumeurs de première classe de notre monde (Québec-Occident-monde). Les uns constatent intelligemment cette mort et les autres enterrent avec sensibilité les restes. » (C, 12. 11. 08). Mais étonnamment, il n'a pas oublié la méthode socratique de l'accouchement de la vérité :

« J'étais profondément "tanné de mourir, bande de caves !" (un leitmotiv de ses œuvres de jeunesse : *Québec octobre 70*, *Le saloon funéraire*, *Obsession Beach*, etc.), et j'ai décidé d'être un sage-homme dans le sens de sage-femme permettant d'accoucher des idées neuves, des projets de libération ou de réparation du monde. Je suis retourné aux études doctorales parce j'étais désenchanté du monde artistique après le Symposium de Chicoutimi et, contre toute attente et contre moi-même, j'ai décidé d'enterrer la mort (la fin de la mort) et de commencer la vie. » (C. 12.11.08)

Certes, cette maïeutique n'est plus celle des vérités éternelles que pratiquait Socrate ; elle s'est relativisée, et vise la naissance des idées temporelles, celles qui pourront nous aider à construire notre vie actuelle et à venir.

C'est en ce sens que Denys Tremblay parle de « recherche-action », selon un concept en vigueur en sociologie, ou mieux encore de « recherche-création ». C'est ainsi qu'il propose d'interpréter ses démarches, qu'il s'agisse du sauvetage de la maison d'Arthur Villeneuve, de ses performances d'Illustre Inconnu, ou de son accession au trône municipal. Et soulignant que ces démarches lient l'art, l'économie, la politique et le contexte social régional, il revendique une méthodologie en faveur de l'interdisciplinarité ou de la transdisciplinarité qui se traduisent aussi par la diversité de ses formes d'expression :

« En conséquence de cette création-action j'utilise, de façon souvent paradoxale, différents modes disciplinaires (théâtre réel, sculpture sociale, design de collectivité, "impolitique" artisane, méta-commémoration religieuse, transcendance municipale en royaume, fusion Art-vie), afin de pousser l'œuvre d'art dite "ouverte" ou "éclatée" ou "post-moderne" vers des limites conceptuelles inédites. Plus prothétique que synthétique, cette utilisation rend possible des actions existentielles qui ne pourraient se faire autrement. » (DSEP)

On ne peut manquer de voir en Denys Tremblay un expérimentateur social, qui opère

1. Homme. *La plaque gravée indique:* mammifère extrêmement cruel et dangereux pour tous les autres animaux y compris les faibles et les femelles de sa race

constamment comme un analyseur et un décodeur social: deux concepts importants en méthodologie des sciences humaines. Il crée des dispositifs imaginaires, qu'il active d'une main de maître, et qui piègent le réel. À la différence des philosophes académiques, il joint la pratique à la pensée. Et, parmi les philosophes, il est de ceux – très rares – qui acceptent de prendre de grands risques existentiels, mais aussi celui qui sait rire de ses idées et de lui-même. Au fond, il nous offre le grand jeu philosophique.

Même s'il n'en revendique pas le titre, lui qui s'est affublé de tant d'étiquettes, je n'hésiterai donc pas à affirmer que Denys Tremblay est l'exemple même de l'artiste philosophe, et qu'à ce titre sa contribution à la philosophie est une dimension importante de son œuvre artistique. En fait, elle en est inséparable. Tant pis pour Platon.

L'art
extrême

La vie sociale exige évidemment que nous renoncions à une partie de notre liberté individuelle, celle dont l'excès nous enivrerait, mais menacerait les autres, et nous-mêmes du même coup. Dans les pays riches, nous nous sentons surprotégés par une vie trop bien réglée. La société déclare garantir notre sécurité psychologique, physique et celle de nos biens. La plupart d'entre nous acceptons d'en payer le prix mental et comportemental en nous soumettant à des contraintes civiques, professionnelles et financières étroites. La logique ordinaire du conformisme et de l'argent nous anesthésie.

Mais faut-il choisir entre l'inertie et le mouvement? Entre le renoncement et le questionnement? Entre la passivité et une exigence créative? Entre l'ordre et l'imagination? On comprend que ceux qui le peuvent ne se contentent pas de ce sort et revendiquent leur liberté individuelle de penser et d'agir autrement. Ils développent le goût du risque et aspirent à une vie extraordinaire. Ils cherchent à se connaître et à mesurer leurs forces intimes dans des expériences limites. L'époque est au sexe, aux sports... et aux arts extrêmes. Comme le dit l'archevêque

Thomas Becket au roi dans *Becket ou l'honneur de Dieu* de Jean Anouilh: «Il faut jouer sa vie pour se sentir vivre». Il faut se faire peur à soi-même pour éprouver sa force. La tradition du défoulement cathartique existe depuis longtemps dans les pays policés. Nous y aimons la tragédie grecque, le grand guignol, les films d'horreur, et maintenant les jeux vidéo de massacres. On y organise le carnaval, la tauromachie dans les rues, et bien d'autres transgressions à date fixe. Quand ces rituels quasi sacrés ne suffisent plus surgit la guerre, qui nous calme par épuisement et mort. Mais l'idée a évolué. Le philosophe Michel Onfray aime les pulsions. Notre nouveau Chateaubriand de gauche fait fureur en revendiquant un «hédonisme nietzschéen». Il suffit de citer ici quelques-uns de ses titres pour évoquer les nostalgies romantiques de notre époque: *Le désir d'être un volcan*, *L'art de jouir*, *La sculpture de soi*, *Les vertus de la foudre*, *La puissance d'exister*.

Lorsque Marcel Duchamp en appelait à la «généralisation de l'esthétique» en se référant à ses ready-made, lorsque Pierre Restany réclamait à son tour cette sécularisation de l'esthétique en référence au nouveau réalisme, on avait du mal à en percevoir l'effet véritable, si ce n'est comme argument de vente dans le commerce du design. En revanche, comment nier la généralisation de la violence! Elle est devenue spectacle sur nos écrans télévisuels, parfois en temps réel. Et l'art n'y échappe pas. Paul Ardenne, dans

Extrême – Esthétiques de la limite dépassée (2006), tente l'inventaire de l'extrémisme des artistes eux-mêmes. Il évoque les performances de Serge III Oldenbourg, qui joua à la roulette russe dans un festival d'art (*Solo pour la mort*), des actionnistes viennois qui organisèrent des orgies de nudité et de sang parodiant des rituels religieux, des artistes de l'art corporel marchant sur du verre brisé ou des braises, se coupant avec des lames de rasoir (Gina Pane), communiant avec le boudin de leur propre sang (Journiac), ou, comme Chris Burden, se faisant tirer une balle dans le bras. Il y a dans ces *artitudes*, comme François Pluchart les a si justement appelées, une volonté de transgresser des interdits dont la logique appelle à une surenchère de violence de plus en plus dénonciatrice ou mortifère. Il suffit de penser à Gregory Green, qui fabrique des *Daring Death Machines*, à Robert Gligorov qui se présente avec une veste de viande rouge (*The Jacket Waiting*) qu'il laisse pourrir sur lui pendant deux mois, à Pinar Yolacan, qui se fait une robe de tripes animales (*Perishables*), ou aux artistes de l'art fécal, comme Piero Manzoni (boîtes de merde d'artiste), David Nebrada (autoportraits couverts d'excréments), ou Wim Delvoye (*Cloaca N° 5*), le créateur d'une machine à fabriquer de la merde, que le Père Ubu aurait peut-être aimée. Dans le registre de l'art politique, les amateurs de liberté de pensée trouveront sans doute leur compte dans l'œuvre de David Cerny, qui se fit

connaître en 1991 en peignant en rose un char russe, et qui a présenté en 2009 à Bruxelles, dans le grand hall du Conseil de l'Europe, une sculpture puzzle (*Entropa*) superposant à la carte géographique de chaque pays membre une bannière évocatrice de ses vérités. Ainsi, la France est recouverte d'un panneau «Grève», la Belgique ressemble à une boîte de pralines, l'Allemagne est bardée de tronçons d'autoroutes dessinant une croix gammée, le Luxembourg est «À vendre», le Danemark est refait en Lego caricaturant Mahomet, la Bulgarie prend forme de toilette à la turque, etc. Voilà qui ouvre le débat entre hauts fonctionnaires européens et provoque l'ire des présidents. Mais comment se montrer vexé et oser censurer les provocations de l'artiste dans le tabernacle de la démocratie occidentale? On pourrait citer bien d'autres exemples de cette tendance à «extrêmiser la culture».

Inversement, le philosophe Michaël La Chance publie *Œuvres-bombes et bioterreur – L'art au temps des bombes* (2007) pour dénoncer «le paradigme d'une humanité devenue massacre perpétuel». Et il rappelle la destruction au lance-roquettes par les Talibans des bouddhas géants de Bâmiyân, la vandalisation d'une installation d'artiste par un ambassadeur dans un musée de Stockholm, ou la saisie par le FBI du laboratoire d'un artiste qui travaillait avec les biotechnologies. Il souligne la dangerosité d'un monde actuel enragé d'extrémisme.

Dans le domaine moins émotif de ce que j'ai appelé les *arts scientifiques*, les artistes qui travaillent sur les biotechnologies, sur la vie, la nature, la mémoire et l'intelligence artificielles explorent des chimères et tentent de dépasser les limites de l'évolution de la nature au nom du posthumanisme. Jugeant le corps humain obsolète, ils inventent des prothèses (Stellarc), se greffent des puces informatiques près du cerveau (Kevin Warwick), et imaginent notre avenir en cyborgs, préfigurant une révolution anthropologique prochaine (Ray Kurzweil). Bref, ils comptent sur la technoscience pour faire muter l'espèce humaine au-delà de ce que la science-fiction appelle le «mur du futur» (le moment de notre évolution qui verra l'intelligence artificielle dépasser en puissance l'intelligence biologique). Mêlant les limites de l'art et de la science dans un imaginaire de science-fiction, ils activent les mythes fonda-teurs de notre volonté de puissance, mais aussi ceux de la vie et de la mort sous le signe de Prométhée.

En comparaison de cet extrémisme artistique de plus en plus répandu, la démarche de Denys Tremblay peut sembler reposante. L'Illustre Inconnu, alias le roi Denys Ier, ne cherche pas à transgresser les limites de la biotique. Il ne cultive ni l'exaspération ni la catharsis de la violence ou du sexe. Il prend plutôt posture dans le champ de la vie politique et sociale et respecte minutieusement les protocoles les plus sous-officiels. Mais son terrain d'action est moins permissif que celui des musées ou de la science-fiction programmative ou génétique. Il se risque en terrain découvert, non protégé par l'institution de l'art, là où règnent la pensée politiquement correcte, les bons usages, les stéréotypes idéologiques et comportementaux. Comment faire autrement s'il prétend lui-même porter l'uniforme et la couronne! L'artiste doit prendre en compte une compréhension sociologique objective pour donner quelque chance de réussite à son projet. Il doit limiter ses fantasmes pour se mesurer avec des collectivités et des institutions réelles non initiées aux libertés de l'art, s'il veut les associer étroitement à sa démarche. Ses initiatives, aussi extrêmes soient-elles, seraient peu dérangeante dans les musées ou galeries, éminemment tolérants aux imaginaires artistiques, même les plus provocateurs ou socialement inacceptables. Mais l'artiste s'adresse à un milieu social réel, non initié aux arcanes de l'art actuel. Certes, il ne pratique pas l'insulte, comme David Cerny, ayant plutôt choisi la parodie la plus digne des institutions les plus officielles, mais il s'exprime avec une force jusqu'au-boutiste qui ne peut manquer de surprendre d'autant plus. La mise en œuvre d'un *really-made* passe par l'acceptation des autres. Le funambule s'avance sur la corde raide pour franchir l'espace qui sépare l'imaginaire du réel. Sans filet de sécurité. Et quels que soient ses efforts pour trouver appui auprès de ses concitoyens, il a tous les risques de chuter lourdement. Certes conscient du déséquilibre qui le guette, il tente de trouver l'équilibre de son audace dans des logiques économiques, voire politiques, que ses interlocuteurs-participants pourront partager. Mais tous le guettent et les consensus sociaux sont fragiles et volatiles. À la moindre incertitude sur son succès, tous les conformistes, tous ceux qui ont des intérêts personnels qu'ils pourraient croire menacés, ou qui ont peur du jugement des autres, sont prêts à abandonner celui qu'ils applaudissaient très fort l'instant d'avant. Or chacun sait que la démocratie évolue comme les bancs de poisson, changeant souvent de direction, d'un même mouvement, mais sans prévenir. Et l'usure du pouvoir royal aidant, plusieurs ne manqueront pas de tourner le dos à l'artiste.

Denys Tremblay a manifestement le goût du risque. Certes, il en fallait pour organiser solennellement à Paris l'enterrement de l'Histoire de l'art métropolitaine, en parodiant le retour des cendres de Napoléon. Il en fallait pour présenter au jury, lors de sa soutenance de thèse, le volume imprimé de ses recherches – des milliers d'heures de travail assidu – en le décrivant comme une «unité volumétrique à trois dimensions et en révélant que ces dimensions sont mesurées en «centimaîtres spirituels», soit «en centièmes de la hauteur corporelle de son "maî-

tre" spirituel, l'Illustre Inconnu». La provocation était raide et l'étudiant pouvait s'attendre à ce que les membres du jury, se jugeant insultés et criant au canular, refusent par respect pour eux-mêmes et pour l'institution, de lui accorder le titre espéré de docteur. Il en fallait aussi pour se présenter en uniforme d'Illustre Inconnu dans sa propre université ou devant le conseil municipal de Chicoutimi.

Mais si la démarche de l'Illustre Inconnu demeure limitée à des interventions brèves devant des micropublics avertis, il n'en est plus de même dans le cas de la monarchie, qui dure plusieurs années et qui doit livrer des résultats économiques et financiers ambitieux. Le défi change d'échelle et l'exercice du pouvoir royal ne peut manquer de provoquer des irritations, des réactions agressives, qui iront en s'amplifiant. Il suscite inévitablement aussi des contrepouvoirs politiques locaux, régionaux, voire nationaux, redoutables, à la mesure des provocations et des ambitions déclarées. La chute de la royauté municipale est inévitablement inscrite dans ces prémices. On s'étonnera même que le roi ait pu régner trois ans. Bref la démarche de l'artiste qui s'avance dans la cité, s'y fait élire et y performe, se révèle finalement beaucoup plus extrême que celle de l'artiste de galerie, voire même que celle de David Cerny, qui joue, quant à lui, réellement au fou du roi, et qui ne peut espérer qu'un succès médiatique encore plus

grand de la censure ou du décrochage de son œuvre. Or l'option de Denys Tremblay n'est jamais le scandale tapageur, mais la réussite réelle et la durée.

Car Denys Tremblay est l'un des artistes les plus réalistes de l'histoire de l'art. Champion du *really-made* jusqu'au-boutiste, il ne joue pas sur l'échiquier de Duchamp, mais sur celui du monde politique:

«Je n'étais pas intéressé par l'idée de me déguiser en Rros Sélavy, comme l'a fait Duchamp, ou de me couper le sexe devant un public sélectionné, comme l'aurait fait, dit-on, Otto Muehl. Je préfère mettre ma tête sur le billot d'une assemblée élective.» (C, 21. 12. 08)

Il faut bien admettre que cette idée même de monarchie anjeannoise était au départ une des plus irréalistes qui se puisse imaginer. Pourtant, l'artiste ose passer à l'acte en la proposant, non pas à un directeur de festival mais aux conseillers municipaux de L'Anse-Saint-Jean. Et il rend son idée si crédible, qu'il les convainc d'organiser un référendum réel. Plus étonnant encore: il gagne démocratiquement et confortablement ce référendum, en respectant toutes les lois québécoises. Plus audacieux encore: il se fait couronner et règne. N'est-ce pas la plus invraisem-

blable histoire véridique qu'on puisse concevoir de nos jours en Amérique du Nord? Denys Tremblay est, étonnamment, un artiste aussi réaliste qu'imaginatif. Et c'est pour cette raison qu'il réussit l'impossible:

«C'est un peu, dit-il en qualifiant sa propre démarche, comme si Marcel Duchamp avait enfin ouvert la porte de *Étant donnés*, après vingt ans d'attente dans la clandestinité, et avait rendu les honneurs en plein jour à cette femme énigmatique de l'intérieur, sommant les spectateurs de dépasser le stade du voyeurisme pour assumer le rôle de témoins, voire de partenaires.» (LDB, 83).

Denys Tremblay se situe à l'opposé du Marcel Duchamp qui déclara: «Le grand artiste de demain se réfugiera dans la clandestinité.» Il est pleinement conscient que l'artiste d'aujourd'hui vit dans un monde essentiellement économique, et que notre société est préoccupée par la condition sociale de nos semblables. Il lui faut être actuel, dans ce monde-là. Christo et Robert Smithson s'y sont employés avec un succès certain; mais ils ne sont pas les seuls. Beaucoup d'autres artistes moins connus, qui se sont engagés socialement, notamment en Amérique latine, représentent une vague de fond de l'art actuel, au tournant du millénaire, qu'on n'a pas encore suffisamment reconnue comme telle, parce que périphérique, située en dehors du circuit commercial et préférant le travail de terrain aux

---

1. Hommage à la conviction politique, *tapisserie de fils de fer barbelés et de cadavres, propriété du Musée national des Beaux-arts de Québec*

galeries d'art. Sans vouloir généraliser aucune étiquette, et en prenant en compte toute la diversité des attitudes et des contextes, je n'hésiterai pas à soutenir qu'il s'agit bien de ce que j'ai appelé dans les années 1970 de l'*art sociologique*. Il s'agit d'art, car la permissivité de la société à l'art sociologique tient beaucoup à la reconnaissance du statut d'artiste de celui qui s'y aventure. Ni celui d'animateur social ou communautaire ni celui de militant politique ne permettraient de déplacer des montagnes et d'engager des groupes sociaux dans des démarches créatives et interrogatives si divergentes. J'ai pu le constater moi-même. Il m'eût été impossible sans ce statut d'artiste d'afficher la liberté sur les panneaux publicitaires géants de Sao Paolo à l'époque de la dictature militaire (1980), ou de faire entrer le peuple de la rue dans le musée d'art moderne de Mexico (*La calle ¿Adonde llega?*, 1983). Et ce fut aussi la démarche de l'atelier citoyens-sculpteurs que j'ai organisé en 1980 lors du Symposium de sculpture environnementale de Chicoutimi. Cet atelier proposait aux Chicoutimiens de s'impliquer en choisissant des sites de la région qui pourraient être transformés pour constituer de nouveaux environnements socio-artistiques. Après une exposition des projets et un vote public, ils se déclarèrent en faveur du réaménagement de la rive du Saguenay (occupée alors par de gros réservoirs de gaz ou d'hydrocarbures et fermée au public), de l'aménagement de l'ancien pont sur le Saguenay en site de promenade et d'observation sur le fleuve, ainsi que de la transformation de l'ancienne voie ferrée en parc linéaire et piste cyclable. Ces choix furent officiellement présentés au conseil municipal pour obtenir leur réalisation, qui a commencé à se concrétiser depuis lors.

On comprendra – et cela devait être dit – que je me sente très proche de Denys Tremblay, bien qu'il faille aussi marquer la différence entre nos approches. Certes, toutes ces démarches supposent d'obtenir une participation active de la population à laquelle l'artiste s'adresse. Il cherche à «découvrir les clés permettant au spectateur-voyeur d'entrer dans l'univers désirable de l'œuvre, de s'y regarder intervenir sans connaître l'issue de cette confrontation. (…) Il s'agit de pousser le spectateur à devenir conscient de sa conscience de l'œuvre. Avec le projet de Saint-Jean-du-Millénaire, c'est toute la population anjeannoise qui se découvre une réalité autre grâce à l'art.» (DSPE, 4)

Mais Denys Tremblay ne retient pas la méthode interrogative que j'ai liée à l'art sociologique, et qui suppose une retenue, un dispositif ouvert que l'artiste ne referme pas lui-même. Dans le cas de la monarchie de L'Anse-Saint-Jean, le peuple est acteur consentant, et même proactif. Il contribue à animer le dispositif instauré par Tremblay et se trouve impliqué dans sa vision monarchique. Mais c'est l'artiste qui propose, convainc, induit des comportements, et règne sur ses sujets, sans s'effacer pour leur donner le pouvoir. Bien sûr, il y a détournement, comme dans l'art sociologique, et le peuple peut reprendre, quand il le veut, le pouvoir qu'il a délégué à l'artiste. Mais la démarche vise la réalisation plus que l'interrogation. Le dispositif ancré dans le réel tend à s'instituer comme un mode de vie et de création alternatif ou divergent. L'artiste cherche à faire la démonstration du bien-fondé de sa proposition, et immanquablement d'autres en souligneront les contradictions ou les échecs. Cette distinction entre la démarche de Denys Tremblay et celle de l'art sociologique ne débouchepas sur un jugement de valeur, mais souligne une différence de posture. On pourrait d'ailleurs affirmer que l'art du roi de L'Anse est plus engagé politiquement, économiquement et socialement que l'art sociologique, qui, par son attitude interrogative, s'engage moins, effleure peut-être seulement la réalité sociale, et relève plutôt d'une posture philosophique.

Denys Tremblay a choisi d'expérimenter les limites de l'art aussi bien par rapport au réel qu'il investit que par rapport au milieu institutionnel de l'art dont il s'écarte. Mais il expérimente ainsi les limites de la vie. Il s'en explique et tente de se justifier, en termes dénués de modestie mais non d'audace, dans le rapport d'activité qu'il doit remettre aux autorités universitaires:

«Cette position interroge les limites de la vie, puisqu'elle permet des résultats réels qui ne pourraient se produire autrement. Par exemple, c'est l'accession au trône de l'Illustre Inconnu qui permettra le financement d'une œuvre: Saint-Jean-du-Millénaire. Le personnage de l'Illustre Inconnu est devenu un véritable roi "apparemment imaginaire ou plus vrai que vrai"! Il s'agit ici d'une fusion entre l'auteur (Denys Tremblay) et son personnage (l'Illustre Inconnu) pour se transmuter en S.M.R. Denys Ier de L'Anse. Ici, les deux corps du roi, le *corpus physicum* et le *corpus mysticum*, deviennent inséparables et font de ma vie une œuvre d'art vivante incluant mes silences, mon exil intérieur et mes interlocuteurs du contexte de l'Art et de la Vie. (dont les lecteurs de ce texte.)» (DSPE)

Je l'ai déjà souligné: l'art sociologique n'a pas seulement été pour moi une démarche artistique et théorique, mais aussi, paradoxalement, compte tenu de son intention sociologique et donc collective, un jeu existentiel intime, où je me risquais personnellement. Est-ce possible sans se piéger dans les illusions de la psychologie et dans les durs paradoxes de la réalité? L'Illustre Inconnu en a fait l'expérience à coup sûr, sinon il ne mentionnerait pas que «les contradictions assumées dans le réel valent mieux que les cohérences de l'esprit». (LDB, 87) Pierre Restany, lui aussi, invoquait ce «jeu existentiel comme œuvre d'art ouverte», et il l'a pratiqué intensément dans son nomadisme de critique d'art. Cette attitude implique un engagement total. J'en connais l'exigence. Comment vivre autrement le dialogue avec les gens de la rue ou des campagnes, dans des performances telles que la *Pharmacie*, sur des places publiques, parfois sous surveillance de polices militaires? Cette expérience où l'artiste va jusqu'au bout de lui-même est susceptible de lui donner une nouvelle vie (*La société sur le divan*, 2006). Je ne saurais nier que l'art sociologique transforme davantage l'artiste que la société. Quant à Denys Tremblay, je ne me risquerai pas dans les profondeurs de sa biographie, mais la même question se pose évidemment pour lui, car son engagement n'était pas moindre. Il souligne d'ailleurs, en parlant de son travail d'Illustre Inconnu, qu'il «ne s'agit pas d'un nouveau divertissement théâtral, mais d'un jeu existentiel réel, vécu comme tel par tous ceux qui prennent en charge leurs différences individuelles et collectives face aux idéologies dominantes et métropolitaines.» (LDB, 91) Dans un résumé de carrière, il note: «L'art, dans sa conséquence ultime, c'est jouer sa vie. Que dire lorsque l'Illustre Inconnu défend le mémoire de son alter ego et propose Lucien Bouchard comme roi légitime du Québec en pleine Commission régionale sur l'avenir du Québec!» (RCADT, 4)

Et il en assume le risque sans état d'âme: «L'Art tue! Comme la Vie. Pourquoi en faire un drame? Parce que l'Art ou la Vie méritent d'être vécus ou joués majestueusement jusqu'à la fin de nous-mêmes et vice et versa.» (MMASJ, 29) La question des rapports entre la vie et la mort est certainement centrale dans l'existence de Denys Tremblay. Il a été très impressionné lorsqu'il a visité, enfant, avec ses camarades d'école, la chambre mortuaire de son oncle Nil. Ses œuvres de jeunesse témoignent de son obsession thématique de la mort. Il n'oublie jamais le suicide de son meilleur ami. Et il transforme la fin de l'Histoire de l'art en mort de l'Histoire de l'art, et en fin de la mort dans un rituel funéraire presque obsessif, qui mêle le macabre et la dérision. Plus tard, il est très touché par la mort rapprochée de ses parents et de son frère. On observe chez lui une très forte tension entre la mort et la vie. Chacune de ses provocations, chacun des grands risques qu'il a pris, apparaît comme un défi contre la mort, une *réclamation* de vie. Il a manifestement lutté contre cette angoisse de la mort par une suraffirmation vitaliste:

«En travaillant avec l'Illustre Inconnu, j'ai pris conscience du fait que la sculpture d'ambiance d'un artiste futuriste comme Boccioni ou la sculpture sociale de l'artiste allemand Beuys ne devenaient souhaitables, pour l'artiste et les expérimentateurs, que si elles les impliquaient

---

1. *L'environnement* Obsession Beach *réalisée à Londres en 1975 en hommage au gouvernement Allende du Chili écrasé par le dictateur Pinochet*

totalement dans un autre contexte, afin qu'ils deviennent eux-mêmes une œuvre d'art et une œuvre de vie mouvante et dynamique, en se créant eux-mêmes une pensée nouvelle pour eux-mêmes. Après tout, la seule prétention que peut avoir un artiste aujourd'hui, fût-il post-historique, est de faire de sa vie un *really-made* heureux; en d'autres termes, d'éviter de se taire tout en tentant de ne pas mourir désespéré.» (LDV, 171, entretien avec Anne-Marie Dion)

L'art comme thérapie? À coup sûr. Comme exorcisme individuel? L'illustre Inconnu ne l'exclut pas:

«On peut voir mon travail sous l'angle d'un "rituel sacré" qui, contrairement aux rites de purification et aux rites de magie, permet de s'abandonner momentanément au numineux sans perdre sa condition de vie bien réglée. Une sorte de négociation entre condition humaine ou sociale et ce monde à la fois attrayant et épeurant de la souveraineté québécoise.» (C, 18. 05. 08)

Mais il s'agit surtout d'un exercice d'exorcisme politique et historique collectif, car «Ces actions s'inscrivent dans une histoire personnelle et col-

1. Document sous-officiel décrivant les situations périphériques méritant d'être retenues. Notez la catégorie «autre»

2. Certificat de franchisation remis par l'Office de la franchise périphérique

lective». (T, II, VI) Il le précise: «Ces voyages sous-officiels m'apparaissent sains et constructeurs, profitables autant pour l'Illustre Inconnu que pour ses hôtes.» (LDV, 103) Denys Tremblay situe ses actes et ses propos en relation directe avec la réalité politique du Québec. Il a été de sympathie souverainiste. Son meilleur ami a souffert des humiliations de son arrestation et a fini par se suicider. Denys Tremblay est très atteint par ce drame. Il ne mène pas seulement une aventure individuelle d'artiste dans ce contexte sociopolitique. Il assume en quelque sorte personnellement la blessure du peuple québécois à travers l'histoire, dont il ressent la douleur collective, mais aussi individuelle. Ainsi, en référence directe à octobre 1970, déclare-t-il, en tant qu'Illustre Inconnu, que «ses visites sous-officielles lui ont permis de transformer les lois du vécu politique québécois par des ordonnances périphériques plus libératrices», et il souligne l'importance de cet «exorcisme individuel et collectif».

Et, bien entendu, lorsqu'il est élu par «son peuple» et devient roi, il ne rêve pas seulement de l'indépendance périphérique du Québec. Il n'en limite pas la portée à un fantasme ou à de l'histoire fiction. Élu roi municipal, il pense tout de suite à une portée plus large. Il ne pourrait être plus explicite dans ses propos de chef d'État qui proclame ses idéaux et ses aspirations souverainistes québécoises visant à effacer l'opprobre de l'histoire. Et faute d'en avoir vécu la libération, il a simulé, ou mieux, plus existentiellement, il a vécu lui-même cette libération et annulé toutes les déclarations

185

L'art extrême

humiliantes du pouvoir fédéral, incluant la loi 101 que le Québec a été obligé de promulguer lui-même pour défendre sa langue, en les reformulant à l'inverse. Il invoque «la nécessité de refaire l'histoire de notre périphérie personnelle et, par conséquent, celle de notre périphérie québécoise.» (*Lettre sur la divulgation*, LDB, 201)

Il rage manifestement tellement contre cette histoire collective, qu'il proclame vouloir étendre ses contre-mesures non seulement au Québec, mais aussi à la France et même «muniversellement», un adverbe qu'il faut comprendre comme une volonté mondiale universelle. C'est pour cela que Denys Tremblay, lorsqu'on le rencontre encore aujourd'hui, neuf ans après son abdication, continue à se prendre pour un roi, qui a certes abdiqué, mais qui en a gardé tous les réflexes et en exerce encore toutes les exigences vis-à-vis de lui-même. À l'instar de Courbet, il est devenu «à lui seul un gouvernement», personnellement souverain. Les défis qu'il s'est imposé et les épreuves auxquelles il a été soumis font de Denys Tremblay un artiste extrême ou extrémiste. Il est d'ailleurs fasciné par les exemples qu'ont pu donner d'autres artistes: «Comment expliquer que Giacometti puisse jeter toute sa production de vingt ans de miniatures dans la rivière et commence à réaliser subitement les personnages allongés que l'on connaît de lui.» (C, 12. 11. 08) Il a médité sur le cas d'Arthur Villeneuve:

«Comment expliquer que le frêle Arthur Villeneuve commence sa carrière artistique en peignant sa maison pendant vingt-deux mois consécutifs allant jusqu'à condamner une fenêtre de la cuisine et des armoires, affrontant sa forte femme et les voisins...» (C, 12. 11. 08)

«Il s'agit d'un véritable acte extrême d'un artiste qui s'affirme avec une telle nécessité que cela mérite l'attention. Nous savons que c'est après avoir entendu la "parabole des talents" lors d'une messe dominicale que Villeneuve décide, contre toute attente, de faire "fructifier son talent". Du 15 avril 1957 au 15 octobre 1958, Villeneuve entreprend de peindre toutes les pièces du rez-de-chaussée, deux pièces au premier étage et les façades avant et arrière de sa maison. Il doit résister aux pressions de sa femme, de ses enfants, de son quartier tout entier. Villeneuve va enfermer littéralement sa famille dans sa peinture. Il pousse l'audace jusqu'à condamner une fenêtre de la cuisine et enlever les sacro-saintes armoires au-dessus de l'évier. (...) Nous nous retrouvons devant une action rituelle qui opère à la fois dans les registres de la Vie quotidienne et de l'Art. Elle est exécutée en fonction d'une croyance intérieure de l'artiste qui se réclame d'une transcendance personnelle.» (TR, 14)

Il se sent frère de ce peintre excessif qui évoque dans sa peinture l'eau (le Saguenay, les rivières, les lacs), les arbres, les montagnes, comme il le fera lui-même dans les bijoux de la couronne et les armoiries. Villeneuve a un âme de métis comme lui. Villeneuve a subi des moqueries, des controverses, des menaces verbales de ses voisins sur la rue Taché, du vandalisme, il a été un trouble-fête à Chicoutimi, et Denys Tremblay a enduré des quolibets semblables de la part de la radio et des journaux. Mais cette hostilité a finalement contribué au succès médiatique des deux. Denys Tremblay cite le philosophe Mikel Dufrenne: «Ce jeu n'est authentique qu'à condition de tout risquer.» Et il ajoute: «Non seulement cette authenticité permet-elle d'affirmer sa différence, mais elle permet de le faire *différemment* et, par là, de la façonner.» (T, II, VII)

Il est tout aussi significatif que Denys Tremblay ait intitulé «Le début de la vie» la brochure qu'il a consacrée à l'Illustre Inconnu et qui fait suite à celle intitulée «La fin de la mort». Il nous dit ainsi explicitement son obsession de la morbidité et sa réaction volontariste la mort est la condition de la mutation et de la renaissance de la vie sous une nouvelle forme. Dans la lettre qu'il consacre à la «divulgation des circonstances entourant notre nomination au titre d'Illustre Inconnu», il parle lui-même de «ce curieux retournement historique où la fin de la mort se métamorphose en début de la vie». (DLV, 201) Il revendique «un art de vivre son art» et la «totalisation existentielle des espaces d'art». (T, 39 et 43) Tout artiste n'est-il pas confronté au couple destruction/création, mort/vie? Denys Tremblay multiplie les naissances de ses personnages successifs. Il s'offre le privilège de plusieurs alter ego. Il ressent de formidables pulsions vitales, qui lui permettent de surmonter tous les empêchements de son existence personnelle et d'affronter le public de ses performances comme Illustre Inconnu et, plus audacieusement encore, de se faire élire roi. Il devient un autre que lui-même. Un artiste peut-il aller plus loin dans sa création, dans son auto-création, et dans l'implication directe de son public?

On peut y voir un *dépassement de l'art*, au sens que lui donne Jean Clarence Lambert: «l'instauration de nouveaux modes d'activité artistique en relation avec un bouleversement profond de nos habitudes d'être, qui favorise l'apparition d'une nouvelle réalité et, au niveau de la subjectivité, l'apparition de nouveaux désirs». Mais Denys Tremblay va au-delà, vers un art total, à la fois comme expérience existentielle jusqu'au-boutiste et comme art protéique: pictural, théâtral, sculptural, architectural, environnemental, politique, économique, social. C'est en ce sens que Denys Tremblay est devenu réellement un inconnu illustre, tel qu'il se voyait et se qualifiait lui-même: un immense artiste méconnu. Peu d'artistes ont été aussi conséquent pour mener l'art aussi loin, jusqu'à ce point où l'art se fond dans la réalité séculaire.

Il a tenté d'accaparer le pouvoir utopique de l'art de transformer le réel. «Nous venions de passer de l'autre côté du miroir, à notre insu, pris au piège de notre propre jeu.» (T, 169) En effet, il va si loin qu'il est entraîné physiquement et psychologiquement dans la logique de sa démarche tout à la fois intime et sociologique. L'artiste Denys Tremblay réussit à se prendre pour l'autre qu'il joue, sans perdre cet équilibre requis pour ne pas succomber au désordre psychique que peuvent induire de tels dédoublements de personnalité. L'artiste extrême est celui qui s'essouffle au bord du langage et au bord de soi-même, assumant la divergence artistique, littéraire, philosophique, et le risque ontologique du jeu existentiel qui pourrait l'entraîner dans la folie. Je pense à Hölderlin, à Nietzsche, à Rimbaud, à Nelligan, à Artaud, à Guillotat, à beaucoup d'autres, qui ont payé le prix suprême. Mais pour mener ses projets, Denys Tremblay avait créé une petite entreprise intitulée Tracécart, qui a donné son nom aussi à l'édition de plusieurs de ses brochures. Pourquoi ce nom, choisi par cet artiste qui aurait pu aussi être architecte? Parce que «tracécart» se lit dans les deux sens, de gauche à droite et de droite à gauche. Autrement dit: tracé à l'endroit et tracé à l'envers. C'est ainsi qu'il a maintenu son équilibre entre le tracé et l'écart en toutes circonstances.

L'histoire de Denys Tremblay, l'artiste roi, l'artiste philosophe, l'homme écrivain, l'homme acteur, le rêveur réaliste, l'homme roi, le roi déçu, l'artiste extrémiste, c'est une histoire de vie extraordinaire, étonnamment compliquée, comme celles que chacun de nous invente parfois dans ses rêves, et dont il se souvient s'il a la chance de se réveiller avant la fin. Denys Tremblay a pris figure mythique. Plus j'y pense, plus je me demande s'il n'est pas un mirage. Plus je l'imagine, plus je parcours son histoire, plus je me demande s'il est réel, s'il a vraiment existé.

1. et 2. L'incroyable Minute de silence périphérique *où l'Illustre Inconnu se déshabille et tombe en état second de mimétisme intégral derrière le rideau péri-colonial*

1 2

Annexes
royales

1

GUIDE PROTOCOLAIRE

à

l'usage des hôtes

de

l'illustre Inconnu

de

l'Internationale Périphérique

Source : Cabinet des aisances protocolaires

2

(IPIP 16051984 D)

La **P**romulgation concernant la «Loi sur les Mesures de paix» sur le territoire québécois

En conséquence, après consultation auprès de nos États Généreux, nous promulguons une mesure d'exception, communément appelée la Loi sur les Mesures de paix, nous permettant au moyen de décrets discrétionnaires de :

A)   donner l'amnistie générale et particulière à tout artiste, critique, historien, consommateur ou tout intervenant à quelque niveau que ce soit, vivant ou travaillant sur le territoire québécois, qui renoncera publiquement, dans un délai raisonnable, et par quelque moyen que ce soit à l'autoréférentialité (ou l'autolégitimité) de l'art, donc à celle de la métropole;

B)   demander la formation immédiate d'un Comité intuitu impersonae sous la juridiction expresse des États Généreux, afin de soutenir et de mettre en évidence tous les actes individuels et collectifs, de personnes ou groupes de personnes engagées dans la périvolution culturelle et de faire respecter par tous les moyens, les droits périphériques contenus dans la déclaration des droits des périphéries.

De ce qui précède, nos sujets et tous ceux que les présentes peuvent concerner sont, par la présente, requis de prendre connaissance et d'agir en conséquence.

En foi de quoi , nous avons fait apposer le Petit Sceau de l'Internationale Périphérique. Témoins, nos très fidèles et bien-aimés membres de l'équipe, passée et présente, de Langage Plus, à qui nous avons décerné notre décoration de la Région d'Honneur Institutionis Causa.

À la Salle Tremblé, en notre ville d'Alma, ce seizième jour du mois de mai de l'an de grâce mil neuf cent quatre-vingt-quatre, le deuxième de notre règne.

PAR SUGGESTION

ILLUSTRE INCONNU ET TRÈS SOUS-OFFICIER

TREMBLAY PREMIER

1. Le guide protocolaire remis aux hôtes de l'Illustre Inconnu
2. La description des principales règles périphériques du protocole qui fusionnent celles des protocoles officiels et diplomatiques en vigueur dans le monde

Chronologie autorisée
DE l'histoire DE
Denys Tremblay
ALIAS L'Illustre Inconnu
ALIAS LE roi de L'Anse

5 février 1951-

1. *Denys Tremblay à l'âge de 5 ans*

« L'art tue comme la vie. Alors pourquoi devrions-nous en faire un drame? Parce que l'Art ou la Vie méritent d'être joués ou vécus, d'être déjoués ou survécus avec le plus de souveraineté et de majesté possible jusqu'à la fin de ce qui pourrait devenir un commencement. Ce récit s'inscrit dans un autre infiniment plus grand, celui des artistes du XXe siècle qui ont amorcé la fusion de l'Art et de la Vie, de l'idéal et de la réalité, de l'imaginaire et de l'existant. »

DENYS TREMBLAY

5 février 1951

Naissance à Rivière-du-Moulin. Il est le huitième et dernier enfant de Rose-Hélène Simard et de Charles-Ernest Tremblay, un industriel qui est à la tête d'une compagnie de fabrication de meubles avec deux de ses frères, dont Nil Tremblay, de vingt ans son aîné. Ébéniste accompli (il faisait des chaises, des horloges grand-père, etc.), Charles-Ernest a lui-même construit ses premières maisons à logement. Il a même fait une année de beaux-arts (c'était rare à l'époque). Et il a gagné un concours international de meccano à douze ans: son prix était une malle en bois rare contenant des milliers de pièces (elle vaudrait aujourd'hui une fortune). Cet ensemble de meccano a occupé les huit enfants de la famille et sans doute stimulé des carrières d'ingénieur ou d'artiste. De santé fragile (emphysème), il a cependant développé un sens très fort de l'autorité afin de diriger la concession forestière qui fournit le bois nécessaire à l'usine. Notable respecté dans la région, il est conseiller, puis maire et préfet de comté pendant une vingtaine d'année. Son frère Nil a également été maire auparavant et la rue de l'ancienne usine porte son nom aujourd'hui.

La petite ville de Rivière-du-Moulin sera réunie avec Chicoutimi et Chicoutimi-Nord pour devenir l'ancienne ville de Chicoutimi qui, dernièrement, a été fusionnée à son tour avec Jonquière et La Baie pour devenir Saguenay.

Le jeune Denys a une enfance tranquille et heureuse et une adolescence un peu plus turbulente. Lorsque l'oncle Nil meurt, il est exposé dans la maison familiale et Denys visite la chambre mortuaire de l'oncle avec sa classe. Est-ce que cela a impressionné l'enfant jusqu'à influencer sa production artistique, dont on a relevé un certain caractère morbide dans ses débuts? C'est improbable. Le jeune Denys doit s'habituer aussi à être le «fils du maire» parmi les enfants d'ouvriers de l'usine. Le frère Jérôme Légaré, professeur d'arts plastiques au secondaire, reconnaît son talent en dessin et le stimule à progresser dans la voie artistique.

Février 1967

Première exposition publique sur «La condition, humaine» à l'auditorium Dufour de Chicoutimi, remarquée par la presse locale.

Août 68

Pendant qu'il entreprend un diplôme d'étude collégiale en arts à Jonquière, l'abbé Jean-Paul Vincent lui propose d'enseigner les arts plastiques au Séminaire de Chicoutimi. À peine plus âgé que ses élèves, il devient le premier professeur d'arts plastiques au Séminaire de Chicoutimi. Il découvre sa vocation pour l'enseignement.

Octobre 1970

Il assiste, impuissant, à l'arrestation injustifiée de l'un de ses amis, Michel-Joseph Fortin, lors de la Crise d'octobre. Cet incident va lui montrer dramatiquement les conséquences de l'arbitraire politique et renforcer son militantisme.

Avril 1970

Deux de ses frères lui proposent de devenir architecte dans leur firme d'ingénieurs. L'artiste hésite entre ces deux formations, car il a aussi la passion de l'architecture. Il s'intéresse particulièrement aux châteaux, qu'il voit moins comme des symboles de pouvoir et davantage comme des œuvres environnementales thématiques et régionales. Il choisit la voie artistique pour son apparente liberté d'action.

21 septembre 1972

Mariage avec son premier amour, Thérèse Lévesque, qu'il a connue à quatorze ans. Elle va faire carrière comme infirmière dans une grande polyvalente scolaire.

Avril 1973

Il obtient son baccalauréat en arts visuels à l'université Laval en exposant, comme projet de fin d'étude, *Le saloon funéraire*. Cet environnement interactif à la fois ludique et contestataire va créer un remous médiatique considérable dans la ville de Québec et attirer des milliers de visiteurs. Cet événement va également éveiller l'attention des spécialistes de l'art. Ce *Saloon* va être exposé à plusieurs reprises par la suite dans divers événements culturels. L'artiste réalise que l'on peut faire carrière artistique en dehors des circuits conventionnels de l'art. La preuve est faite que l'art n'est pas seulement un concept institutionnel, mais qu'il y a un prix médiatique à payer si l'on sort du rang.

Août 1973 à fin 1975 à Londres

Boursier du gouvernement du Québec, il part étudier à Londres au Goldsmith College de l'University of London. Profondément touché par la fin tragique du gouvernement Allende au Chili, il conçoit un environnement autonome automatisé *Obsesssion* et obtient un *advanced diploma in art* de la prestigieuse institution.

Juin 1977

Artiste reconnu de la relève et diplômé à l'étranger, il devient professeur à l'Université du Québec à Chicoutimi après y avoir été «chargé de cours à plein temps». À 26 ans, il va entreprendre une carrière universitaire riche d'initiatives diverses pendant près de 32 ans. Il a comme collègue départemental nul autre que l'abbé Vincent qui lui avait ouvert la voie de l'enseignement en 1968.

6 juin 1977

Naissance de son premier fils, Nicolas, qui deviendra architecte. À l'instar de Charles-Ernest, le nouveau père construit sa première maison de style contemporain avec son beau-père menuisier.

Mai 1978

Il expose à la Galerie de L'Anse-aux-Barques du Musée du Québec des sculptures qui proviennent des environnements qu'il a conçus et exposés auparavant. Les principaux musées acquièrent graduellement ces éléments moins encombrants que ses environnements. Il est sélectionné dans l'exposition *Tendances actuelles en sculpture* du Musée d'art contemporain de Montréal en janvier 1979.

De 1978 à 1980

Le jeune professeur conçoit et prépare le Symposium international de sculpture environnementale de Chicoutimi en 1980. Il en sera l'instigateur, le promoteur, le directeur général, le secrétaire de la corporation et un membre du jury de sélection. Il engage une centaine de jeunes artistes provenant du Québec et beaucoup feront leur marque par la suite.

20 mai 1980

Le premier référendum sur l'indépendance du Québec est rejeté par 59,44 % des voix exprimées. René Lévesque prophétise: «À la prochaine fois.»

Du 11 juin au 5 août 1980

Tenue du Symposium international de sculpture environnementale de Chicoutimi. Par l'ampleur de son budget et de son impact sur l'actualité artistique canadienne, cette manifestation est souvent considérée comme «l'événement fondateur de l'art en région». De nombreux artistes canadiens et étrangers y sont découverts et le site de l'ancienne Pulperie est appelé ainsi à répondre à une vocation artistique définitive. C'est là que Denys Tremblay rencontre pour la première fois Hervé Fischer et Pierre Restany. L'artiste saguenéen a réussi à multiplier les impacts sociaux en reliant les diverses activités du symposium entre elles sur l'ensemble de sa région, de manière à former une «méta-œuvre» communautaire. Le Symposium devient ainsi un prototype du *really-made* avant la lettre. La preuve est faite que l'on peut faire de l'art en dehors des métropoles, avec des objectifs non exclusivement artistiques.

1er février 1982

Naissance de son deuxième fils, Gabriel, qui deviendra biologiste.

De 1983 à 1985

Ayant obtenu un congé de perfectionnement, il entreprend ses études doctorales à l'Université Paris-VIII sous la direction de Frank Popper. Son projet de thèse s'intitule «La sculpture environnementale: point de vue historique, articulation conceptuelle et illustration».

14 avril 1983 à Paris

Denys Tremblay assume le titre d'«Illustre Inconnu» pour la première fois lorsqu'il met en œuvre un premier cérémonial à grand déploiement visuel, inspiré du retour des cendres de Napoléon Ier, qui débute au centre Pompidou pour se terminer à la galerie Diagonale, transformée en «Invalable» pour l'occasion. Portant l'uniforme du Très Sous-officier, il procède à la cérémonie d'inhumation définitive de Sa Majesté l'Histoire de l'art métropolitaine. Paradoxalement, cette inhumation marque la naissance de l'Internationale Périphérique. Elle donne lieu à une exposition artistique itinérante et au film télévisuel *Chronique funéraire* (30 mm). Hervé Fischer et Pierre Restany sont invités comme témoins plénipotentiaires à cette étrange intervention protocolaire. C'est un «acte extrême» que l'auteur n'arrive pas à comprendre lui-même, ni à relier à ses études doctorales du moment.

Avril 1984

Trois manifestations de l'Illustre Inconnu à Paris. Exposition à la Galerie Lara Vinci. Manifestation au Centre culturel canadien et lancement du film documentaire sur l'enterrement de l'Histoire de l'art métropolitaine. Manifestation commémorative à la galerie Diagonale.

Mai 1984

Il apprend la mort volontaire, en avril 1983, de son ami Michel-Joseph Fortin au métro

Place-des-Arts, à Montréal, un suicide qu'il attribue à son arrestation pendant la Crise d'octobre quatorze ans plus tôt. Ce synchronisme avec l'enterrement de l'Histoire de l'art métropolitaine va donner «un sens» plus fort à sa démarche et va l'engager dans un processus artistique de plus en plus réel qui va durer pendant quatorze années consécutives. Il revendique dorénavant le titre réel d'«Illustre Inconnu» d'une histoire de l'art désormais «périphérique» qui le conduira au décentrement définitif de sa conception de l'art.

16 mai 1984

Visite sous-officielle de l'Illustre Inconnu à Alma. Visite du site environnemental «Intervention 58» et Décret de non-monument historique de très grand intérêt régional; dévoilement de la plaque commémorative; proclamation de l'État d'insurrection métropolitaine; promulgation de la Loi sur les mesures de Paix; réception à l'hôtel de ville.

21 juillet 1984

Visite sous-officielle de l'Illustre Inconnu à Rivière-du-Loup pour inaugurer la première Biennale de l'Est du Québec.

17 janvier 1985

Visite sous-officielle de l'Illustre Inconnu à Chicoutimi, sa ville natale. Le programme de cette journée débute par une réception à l'hôtel de ville de Chicoutimi en présence du maire Ulric Blackburn et donne lieu à la signature

d'un protocole d'entente. Elle se poursuit avec la visite de la maison natale de l'Illustre Inconnu, transformée en centre pour personnes atteintes physiquement et mentalement (foyer Langevin), puis avec une conférence prononcée devant les étudiants du module des arts de l'Université du Québec à Chicoutimi. Une réception est offerte par les autorités universitaires et l'Illustre Inconnu remet la Région d'Honneur à diverses personnalités de la région. En fin d'après-midi, l'Illustre Inconnu prononce à L'Espace virtuel une conférence intitulée: «Régionalisme et féminisme. Un art de vivre son art!» Un souper sous-officiel à l'hôtel Chicoutimi est organisé pour la remise de la Victoire Périphérique aux anciens membres du Symposium international de sculpture environnementale. Et en fin de soirée l'Illustre Inconnu s'adresse à la population de Chicoutimi dans le cadre de l'inauguration de l'Exposition de la Preuve Ultime au Musée du Saguenay–Lac-Saint-Jean. Remise de la Région d'Honneur au peintre Arthur Villeneuve. La visite est retransmise par la télévision communautaire.

De 1985 à 1989

L'artiste et professeur voudrait organiser chaque année un symposium artistique d'envergure internationale à partir de préoccupations locales. Il conçoit donc un véritable «incubateur artistique» et entreprend le projet

P.O.R.T. (Pavillon des Œuvres et Recherches Thématiques), qui marie la vocation pédagogique de son université à celle, touristique, du port réaménagé de Chicoutimi. Les études préliminaires du projet sont financées par le gouvernement fédéral. Il n'hésite pas à intégrer la maison Villeneuve de «l'artiste naïf» local Arthur Villeneuve dans ce nouveau concept d'école universitaire et il l'achète une première fois dans une atmosphère médiatique hystérique. Ce premier incubateur artistique fait l'objet d'un débat lors de la première conférence internationale sur la gestion des arts (HEC-University of Waterloo). Apparemment trop innovateur, trop interdisciplinaire et décidément trop périphérique, le projet est finalement abandonné. La maison Villeneuve ne pourra pas encore être mise en valeur, et son université ne pourra pas se démarquer du modèle de l'enseignement artistique conventionnel. Chicoutimi ne deviendra pas une référence périphérique de l'art contemporain.

De 1986 au 17 février 1990

Les citoyens de L'Anse-Saint-Jean adoptent un projet de station de ski sur le mont Édouard pour relancer leur activité économique. Ce projet irrite l'establishment régional, qui a déjà sa station régionale, et le gouvernement refuse le financement après de multiples démarches inutiles. Les Anjeannois réagissent en organisant un blocus des routes le 13 décembre

1990 et le curé Clément Harvey entreprend un jeûne en guise de soutien. Début février, les citoyens envahissent la montagne et coupent illégalement les arbres. Le 17 février suivant, le gouvernement cède sous la pression populaire et octroie 6 000 000 $. C'est juste assez pour une station de ski strictement hivernale, et suffisant pour que les citoyens commémorent cette victoire à l'arraché en baptisant Illégale la nouvelle bière des Brasseurs de L'Anse. Sans qu'ils le sachent encore, ce succès va les conduire dans l'incroyable aventure de la royauté.

22 octobre 1987 à Paris

Denys Tremblay étant naturellement l'«immanent chef de Cabinet des aisances protocolaires» de l'Illustre Inconnu, il défend sous ce titre sa thèse de doctorat devant d'«imminents» spécialistes, dont Gilbert Lascault, Daniel Charles et Frank Popper. L'auteur y conçoit les sculptures environnementales comme des *really-made* résultant d'une transaction entre les contextes de l'art et de la vie. Présentant au jury le volume imprimé de sa thèse, il la décrit comme l'«Unité volumétrique» à trois dimensions: la hauteur des aspirations, la profondeur des idées et la largeur des points de vue et il indique que ces dimensions sont mesurées en «centimaîtres spirituels», soit en centièmes de la hauteur corporelle de son «maître» spirituel l'Illustre Inconnu. D'abord stupéfaits, les membres du jury acceptent pourtant de reconnaître ce geste d'art comme une réalité universitaire de plein droit et donnent à l'artiste un vrai doctorat. Aux yeux de l'artiste, ce premier *really-made* met fin à la période duchampienne de l'art, soixante et dix ans après le fameux ready-made *Fontaine*. Il devient probablement le premier docteur en arts plastiques du Québec et peut-être du Canada. Son point de vue théorique est maintenant attesté par la forme même de sa thèse et de sa défense.

Depuis 1988

Il partage sa vie avec Marie-Andrée Ouellet, qui deviendra princesse consort, et sa fille, Anne, qui deviendra designer d'intérieur.

1990

Le Musée du Saguenay lui demande de faciliter l'acquisition définitive de la maison Villeneuve. Le célèbre peintre est décédé et l'urgence de sauver sa maison, entièrement peinte de ses mains, se fait cruellement sentir. Non seulement l'artiste réussit-il à l'acquérir une deuxième fois au nom du Musée et à la faire reconnaître par la Commission des biens culturels, mais il réussit aussi à la faire déménager et à l'intégrer dans le Musée, sur le site de l'ancienne Pulperie, dix ans après l'avoir ouverte au public avec le Symposium.

1992

Des promoteurs de la région contactent le professeur pour évaluer la possibilité de réaliser une œuvre d'art sur le sommet du mont Édouard près de L'Anse-Saint-Jean afin de lui assurer une vocation touristique quatre-saisons et une meilleure rentabilité. On lui propose ensuite de concevoir une œuvre environnementale et il rédige alors l'étude conceptuelle et de faisabilité technique du projet Saint-Jean-du-Millénaire. Bien avant d'autres, il entrevoit l'intérêt suscité par l'an 2000 pour d'éventuels financements. Sans qu'il le sache encore, cette initiative va le plonger dans l'incroyable aventure de la royauté.

30 octobre 1992

L'Illustre Inconnu prononce la Déclaration de London, à London, en Ontario, au colloque «Sur la dissimulation/le Faux», à la Western Ontario University. Cette déclaration souligne le rôle monarchique dans la libération périphérique du Québec. Une contribution au sempiternel débat constitutionnel canadien et québécois.

De 1983 à 1997

L'Illustre Inconnu et son alter ego font des interventions toutes plus inédites les unes que les autres. L'artiste peaufine ses actions qui ont un impact de plus en plus réel. Il repère les zones grises entre les concepts antagonistes de toutes choses qui permettent la réalisation de *really-made*. Ce sont des zones neutres où tout peut être «apparemment imaginaire» ou «plus vrai que vrai», selon le choix du spectateur-expérimentateur. L'artiste n'hésite pas à promulguer une Loi sur les mesures de Paix ou « Loi Sans un Oubli », à donner des certificats « de franchisation » et des Régions d'Honneur *institutionis causa*. Ses interventions passent graduellement de l'imaginaire au réel. Ainsi, l'Illustre Inconnu va réclamer la souveraineté de sa région lors d'un congrès de l'ACFAS (13 mai 1995, Jonquière).

Février 1995

L'Illustre Inconnu présente le mémoire « Le référendum en questions » de son alter ego Denys Tremblay devant la Commission du Saguenay–Lac-Saint-Jean sur l'avenir du Québec. L'« Impersonnage » rend la pareille à son auteur qui avait défendu « l'Unité volumétrique » de l'Internationale Périphérique en 1987.

30 octobre 1995

Le deuxième référendum pour l'indépendance du Québec est rejeté par une très mince majorité de 50,58 % des votants. Jacques Parizeau constate le rôle de « l'argent et du vote ethnique » dans la défaite.

À partir de 1992 jusqu'à la fin de 1996

Simultanément aux actions de l'Illustre Inconnu, Denys Tremblay participe régulièrement aux multiples réunions avec les promoteurs de L'Anse-Saint-Jean, qu'il apprend à apprécier. Ces derniers cherchent sans succès à trouver une façon originale de financer le projet Saint-Jean-du-Millénaire.

Été 1995

L'artiste obtient une importante bourse du Conseil des arts et des lettres du Québec pour concevoir un prototype de mosaïques florales automatiquement géré par ordinateur. Il s'associe avec le Groupe de Recherche en Interactivité Personne/Machine (le GRIP/M) de l'UQAC et travaille avec son frère, le professeur Richard Tremblay. Ces mosaïques pourront enrichir visuellement et conceptuellement le projet de fresque végétale.

Avril 1996

À l'initiative de Renée Wells, directrice du Musée du Saguenay, divers organismes de la région, dont le conseil de ville de Chicoutimi, appuient sans succès la candidature de l'artiste au prix Paul-Émile-Borduas. Longtemps plus tard, cet appui consolidera sa position royale en servant d'argument référendaire.

10 juin 1996

Lucien Bouchard présente au premier ministre français Alain Juppé les trois caps du Saguenay officiellement nommés lors du bicentenaire de la révolution française, soit les caps Liberté, Égalité et Fraternité. Ces trois caps sont situés sur la rive nord en face du secteur de Baie-Éternité, tout près du futur royaume de L'Anse-Saint-Jean.

19 au 21 juillet 1996

Des inondations catastrophiques frappent le Saguenay–Lac-Saint-Jean. Le « déluge du

Saguenay» dévaste le village de L'Anse-Saint-Jean et sape dangereusement le moral des Anjeannois, sévèrement éprouvés.

Août 1996

Courageusement, le comité de financement, puis le conseil municipal, acceptent la proposition de l'artiste de créer une monarchie municipale par référendum pour favoriser le financement et la publicité du projet environnemental. Les deux processus, celui du financement et celui des actions artistiques, se fusionnent ici. La vision qu'a l'artiste de la souveraineté pourra enfin être soumise à l'épreuve des faits «apparemment imaginaires» ou «plus vrais que vrai» d'un territoire réel du Québec.

Août 1996

L'artiste reçoit une bourse du Conseil des arts du Canada pour la réalisation d'accessoires «tant réels qu'artistiques» que seront les bijoux de la Couronne anjeannoise. C'est une première validation par une institution artistique du *really-made*.

7 octobre 1996

À la surprise générale, le maire Laurent-Yves Simard annonce que le conseil municipal entend consulter la population pour l'instauration d'une monarchie municipale. C'est la deuxième validation, cette fois par une institution politique, de la théorie du *really-made*.

Du 7 octobre au 19 janvier 1997

Une campagne référendaire sans précédent attire l'attention des médias médusés. Un comité du oui s'active et les appuis se multiplient. Le curé Raymond Larouche accepte publiquement le principe du couronnement à l'église dans l'espoir de sortir sa paroisse du traumatisme du déluge dévastateur. Cette troisième validation, cette fois par une institution religieuse, confirme la possibilité du *really-made*.

19 et 21 janvier 1997

Exactement six mois après le déluge, un référendum municipal tout à fait légal pose cette question pour le moins étonnante: «Voulez-vous que l'Illustre Inconnu devienne roi municipal de L'Anse-Saint-Jean avec le mandat de promouvoir le projet Saint-Jean-du-Millénaire.» Ce 19 janvier, la population répond avec un oui majoritaire de 73,9%. Le 21 janvier, l'Illustre Inconnu devient officiellement le «roi municipal désigné». La nouvelle fait le tour de la planète. Les membres du conseil municipal ont donc pu s'écrier justement: «L'Illustre Inconnu est mort! Vive Denys Ier de L'Anse.»

De février à juin 1997

La population, sans aucun moyen financier, se mobilise pour organiser un couronnement à l'église. On veut fêter et oublier le déluge qui a ravagé le village. Les gens se mettent à rêver de nouveau, sous le regard pas toujours bienveillant d'une presse locale, nationale et internationale surprise et aux aguets. L'un des plus importants organisateurs, François-Léo Tremblay, parle d'une participation de près de 500 bénévoles.

D'avril à juin 1997

Des rencontres discrètes sont organisées avec le gouverneur général du Canada Roméo Leblanc, le premier ministre du Québec Lucien Bouchard et des ministres comme Louise Harel.

4 mars 1997

La galerie Séquence lance le site web de la monarchie de L'Anse, qu'elle a conçu gracieusement. Ce site est toujours en fonction en tant que cyberpatrimoine (www.roidelanse.qc.ca).

16 mars 1997

La rumeur d'une commandite importante pour la construction du château de L'Anse crée un émoi régional. D'autres rumeurs viendront enflammer l'imaginaire collectif, comme la présence de princes ou de rois lors du couronnement.

19 juin 1997

Dix-sept ans après la bière Illégale, les Brasseurs de L'Anse lance une nouvelle bière, La Royale de L'Anse, qui connaîtra un succès instantané représentant près de 40 % des ventes. Se référant à une obscure lettre anonyme, un animateur vedette parle d'un « vice de fabrication », rumeur qui sera vivement démentie par la directrice Anne Boudreault. L'avertissement est ainsi donné à toute compagnie qui oserait faire des affaires avec la monarchie.

24 juin 1997

C'est le couronnement magistral du roi qui consacre la fusion réelle de l'Art et de la Vie, tant souhaitée par les artistes depuis les futuristes. Les « deux corps du roi », artistique et social, sont définitivement réunis pour le meilleur et pour le pire. Cette cérémonie « méta-religieuse » et « méta-politique » se déroule dans l'église pleine à craquer d'un village en fête qui a quintuplé sa population pour l'occasion. Toutes les agences internationales d'information sont présentes et diffusent la nouvelle.

Été 1997

La mise en œuvre du nouveau « royaume municipal » est solennellement engagée par le roi artiste en étroite collaboration avec la population anjeannoise. De nombreux promoteurs sociaux s'enthousiasment devant les opportunités nouvelles de ce poétique « coup d'état d'esprit périphérique » qui a tout pour changer la dynamique sociétale. À leurs yeux, tout doit être fait pour soutenir le projet Saint-Jean-du-Millénaire et ce roi artiste qui attire l'attention des médias sur le village. Cependant, les hostilités sont secrètement engagées contre cette innovante monarchie, définitivement dérangeante pour trop de monde. Au-delà de la municipalité de L'Anse-Saint-Jean, divers pouvoirs en place s'inquiètent. Aux yeux de certains, tout doit être fait pour nuire à ce roi artiste qui mélange les postures sociales. Les manipulateurs d'opinion fourbissent leurs armes et se mettent en branle. Le projet Saint-Jean-du-Millénaire est de ce fait contesté. La communauté artistique oscille entre la méfiance et l'expectative.

5 juillet 1997

Le roi annonce que l'homme d'affaires bien en vue Alain Laberge sera nommé baron. Un lynchage médiatique tente de le ridiculiser aussitôt. L'avertissement est donné à ceux qui oseraient s'intéresser à cette nouvelle noblesse des donateurs.

1er août 1997

À l'initiative de Noël Daigle, un Comité des ami(e)s du roi est constitué par une trentaine de citoyens pour soutenir financièrement et logistiquement les activités du roi. Un journal monarchique est lancé.

6 septembre 1997

En visite officielle dans l'Outaouais, le roi est reçu par la ville de Gatineau. Le maire Guy Lacroix veut être le premier à reconnaître le royaume de L'Anse-Saint-Jean et «offrir un appui moral ou monétaire à son projet». D'autres villes veulent l'imiter. Certains médias crient au scandale, de sorte que les ardeurs des autres municipalités intéressées sont vites refroidies.

Novembre 1997

Une première tentative de prendre le contrôle municipal en élisant un maire franchement hostile au roi échoue de justesse lors de l'élection partielle bisannuelle. L'aspirant Adrien Gagnon ne pourra stopper le roi cette fois-ci, mais c'est partie remise. C'est Rita Gaudreault qui prendra les rênes du pouvoir municipal dans la continuité avec l'ancien maire Simard.

15 janvier 1998

Sans reconnaître officiellement la monarchie, la Commission de toponymie du Québec n'en approuve pas moins les noms officiels des secteurs de L'Anse-Saint-Jean qui deviendront de facto les noms des trois duchés, des neuf comtés et des vingt et une baronnies destinés à remercier les grands donateurs.

Janvier 1998

Le roi est invité à l'émission d'accusation publique J.E. en direct du réseau TVA et ne peut s'y soustraire. Les animateurs tentent de discréditer la monarchie, sans que le roi puisse toujours répliquer en direct.

24 et 25 février 1998

Lancement régional (à L'Anse-Saint-Jean) et national (à Montréal) de la campagne de financement du projet Saint-Jean-du-Millénaire. La monnaie du royaume, les titres de propriété des parcelles de l'œuvre et les noms des titres de noblesse sont annoncés.

Février 1998

La revue *Commerce* décerne un prix Orange à la monarchie pour son originalité et juge le projet «juste assez sérieux pour que les médias en parlent et juste assez léger pour qu'on n'accuse pas les organisateurs de se prendre pour d'autres».

Mars 1998

La station de radio CJAB se lance dans une campagne de dénigrement régional contre le roi et contre le projet de fresque.

16 avril 1998

CJAB finance une pseudo-fresque qui «n'a pas coûté une cenne» faites d'arbres coupés représentant le sigle commercial de la station. La direction de la station prouve ainsi son implication. On montre l'œuvre par avion à qui veut la voir.

18 octobre 1998

Le gouvernement fédéral annonce sa participation financière au projet Saint-Jean-du-Millénaire. Ottawa versera 257 635 $ dans le cadre du Programme des partenariats du millénaire du Canada. Le Reform Party, le premier ministre de l'Alberta John Williams et les journaux anglophones se déchaînent contre ce projet qu'ils taxent de «*wasteful, tacky and doomed to failure*». Le projet est défendu par le député régional André Harvey.

8 au 13 mai 1998

Le roi est invité à participer au Salon d'achats du groupe pharmaceutique Essaim à Phoenix, en Arizona. À l'initiative du président Guy-Marie Papillon, les participants votent une importante commandite (120 000 $) pour le projet Saint-Jean-du-Millénaire, aussitôt annoncée dans les médias régionaux. Le président Papillon est nommé «très grand commandeur de l'Ordre des compagnons du millénaire». Curieusement, le groupe se récusera officiellement par la suite laissant les promoteurs anjeannois dans l'embarras.

27 juin 1998

Ouverture du Musée de L'Anse qui relate les événements, expose les artefacts et présente les projets de la monarchie et de Saint-Jean-du-Millénaire. Le succès est immédiat auprès des touristes.

Février 1999

Une œuvre de jeunesse (réalisée à 19 ans), intitulée *Le cégep*, fait partie de l'exposition rétrospective *Déclics art et société, le Québec des années 60-70*.

28 mai 1999

Le gouvernement provincial annonce qu'il remboursera à la municipalité les intérêts de la dette contractée lors du déluge. C'est un montant de près de 150 000 $ tout à fait inattendu.

28 juin 1999

Le Conseil décide d'octroyer une partie du montant total du remboursement (100 000 $) pour payer la part exigée du milieu dans tout projet de financement fédéral, et de commencer les travaux de Saint-Jean-du-Millénaire avant l'an 2000.

Été 1999

Une deuxième tentative de l'opposition au roi exploite une résistance locale à l'idée d'octroyer une subvention municipale au projet. Elle est orchestrée cette fois par un comité de citoyens présidé par le candidat malheureux à la mairie et par le président de l'Association des propriétaires de Périgny. Le comité refuse que la subvention soit versée à la Fondation Saint-Jean-du-Millénaire et veulent le dissocier de la monarchie.

24 juin 1999

Au lieu de fêter le deuxième anniversaire de son couronnement, le roi enterre sa mère, Rose-Hélène. Le roi interprète cet événement comme un mauvais présage.

5 juillet 1999

Le conseil municipal entérine la décision du 28 juin d'accorder la subvention à la Fondation Saint-Jean-du-Millénaire sous certaines conditions, lors d'une assemblée houleuse.

8 juillet 1999

À la grande satisfaction du comité de citoyens, le ministre de la Sécurité publique du Québec, Serge Ménard, prenant en compte les dissensions locales, suspend le processus d'émission du chèque du gouvernement du Québec.

11 juillet 1999

Une pétition circule et les deux comités s'associent en vue des élections municipales partielles.

2 août 1999

En conformité avec son assermentation, le roi prend ses distances pour ne pas intervenir dans le débat électoral. Il quitte temporairement L'Anse-Saint-Jean et ferme son musée royal.

14 septembre 1999

Le ciel s'assombrit pour Denys Tremblay. Deux mois à peine après sa mère, son père, Charles-Ernest, décède à son tour, suivi de son frère Pierre, le 16 décembre.

7 novembre 1999

Quatre candidats réfractaires à la subvention se présentent aux quatre postes de conseillers ouverts lors des élections partielles. Le sort de la monarchie est scellé lorsqu'ils sont élus et prennent le contrôle du conseil municipal composé de sept membres. Officiellement, ni le roi ni le projet ne sont en cause, mais seulement la subvention municipale de 100 000 $. Le roi sait cependant qu'il a perdu toute marge de manœuvre.

15 novembre 1999

Le nouveau conseil municipal annule la subvention à la Fondation. Par la défiance qu'il affiche ainsi envers le projet, il condamne définitivement toute possibilité de soutien extérieur.

14 janvier 2000

Le roi abdique élégamment en « offrant son pardon à ses détracteurs », notamment à « ceux qui savaient ce qu'ils faisaient ». C'est un roi déçu qui prend l'exil intérieur.

Depuis lors

L'artiste poursuit sa carrière universitaire en tant que professeur, directeur du module des arts et directeur international d'un programme délocalisé en Chine. Avant son départ à la retraite, la direction de son université lui a demandé de concevoir et de favoriser le démarrage de programmes en animation 3D à Montréal. L'artiste s'est activé également en tant que spécialiste dans le programme d'intégration des arts du ministère de la Culture, des Communications et de la Condition féminine.

Depuis lors

L'Anse-Saint-Jean continue son expansion notamment en développant le village alpin et les sites d'observation sur le sommet du mont Édouard, sous la gouverne du maire actuel Claude Boucher.

Avril 2007

Sa thèse-œuvre d'art fait partie des quarante artefacts de l'exposition « une histoire de la reliure d'art au Québec » à la Bibliothèque nationale du Québec à Montréal.

Décembre 2008

Sortie du premier timbre du couronnement de Denys Ier de L'Anse-Saint-Jean, par Postes Canada, qui reprennent ainsi un air de postes royale (un nouveau *really-made*).

12 avril 2009

Le conseil d'administraion de l'Université du Québec à Chicoutimi lui octroie le statut de professeur émérite après un rigoureux exercice d'évaluation de sa carrière universitaire.

Juin 2009

Publication du livre *Un roi américain* de Hervé Fischer, chez VLB éditeur, Montréal.

13 juin 2009-14 avril 2010

Exposition rétrospective de son cheminement au Musée de la Pulperie, à Chicoutimi, sous le titre *Alias, de l'Illustre Inconnu au roi de L'Anse.*

8 au 10 octobre 2009

Colloque réunissant divers experts sur l'œuvre de l'artiste au Musée de la Pulperie, à Chicoutimi, sous le titre « Alias Denys Tremblay: En périphérie du réel et de l'imaginaire ».

À suivre

Dans le site Internet www.roidelanse.qc.ca

Page de gauche

    Poste royale :

    Le really-made timbré *métacommémorant le couronnement de L'Anse-Saint-Jean (timbre émis par Postes Canada en 2008)*

Page de droite

    L'Illustre Inconnu avec son père Charles-Ernest et sa mère Rose-Hélène

Références bibliographiques

Sigles des textes cités de Denys Tremblay:

APM

Le référendum en questions: L'avantage premier de la monarchie, document dactylographié. Mémoire présenté par Denys Tremblay dans le cadre des Commissions régionales sur l'avenir du Québec en 1995.

C

Courriels de Denys Tremblay, en réponse aux questions de Hervé Fischer, avec la mention de la date.

CSAR

Le couronnement de Son Altesse Royale Denys Ier de L'Anse, 12 pages.

DSPE

Demande de statut de professeur émérite à l'Université du Québec à Chicoutimi, Préambule, octobre 2008.

LDB

Le début de la vie, une histoire de really-made, Un itinéraire périphérique, Une réalisation de la Banque d'Opérations d'Art périphérique (B.O.A. périphérique), numéroté de 76 à 199, 1985.

LFM

La fin de la mort, inventaire raisonné et illustré des documents, preuves et reliques de la mort et de l'inhumation définitive de l'Histoire de l'art métropolitaine, par Denys Tremblay, *Une réalisation du Service de la Preuve Ultime des Archives Régionales (S.P.U.A.R.)*, par Denys Tremblay, numéroté de 1 à 75, 1984.

Ce volume est suivi d'un second: LDB

MMASJ

La monarchie municipale de L'Anse-Saint-Jean, par Denys Tremblay, 303 pages
  Un really-made exponentiel
  Les bijoux de la Couronne
  Des really-made « contresignés »

PL

Plan de développement récréo-touristique de L'Anse-Saint-Jean, rapport présenté par Denys Tremblay à la Société de développement de L'Anse-Saint-Jean (Samson, Bélair, Deloitte & Touche, avril 1993), 113 pages.

RAS

Rapport d'année sabbatique, décembre 2000.

RCADT

Résumé de la carrière de l'artiste Denys Tremblay, manuscrit de 7 pages.

RPASJ

Un roi pour L'Anse-Saint-Jean, prospectus promotionnel de 4 pages.

RQ

Le référendum en questions, mémoire adressé à la Commission du Saguenay–Lac-Saint-Jean sur l'avenir du Québec par Denys Tremblay. Numéro d'inscription 020047, février 1995.

R R

Du régional au régionalisme, article paru dans le catalogue de l'exposition *Québec en régions*, septembre 1987, pages 9-11.

S J M

Saint-Jean-du-Millénaire, sculpture environnementale sur le mont Édouard

1. *Étude conceptuelle*, réalisée par Denys Tremblay pour Samson, Bélair, Deloitte & Touche, juin 1993, 39 pages plus annexes.
2. *Étude de faisabilité technique*, réalisée par Denys Tremblay pour Samson, Bélair, Deloitte & Touche, juin 1993, 64 pages.

T

Thèse de doctorat que Denys Tremblay a soutenue à Paris, sous la direction de Frank Popper, Université Paris VIII, Vincennes, jury avec Daniel Charles et Gilbert Lascault, le 22 octobre 1987 à Paris.

T A

Exposition *Tactile*, Musée de Québec, 1978

T R

Tracécart, Concept d'intégration et de mise en valeur, maison Arthur-Villeneuve sur le site de la Pulperie de Chicoutimi, par Denys Tremblay, 194 pages plus annexes.

On consultera très utilement de Denys Tremblay:

Le symposium comme œuvre d'art... Ou comment l'on troque son statut social d'artiste pour faire de l'art? Colloque international sur la sculpture environnementale, Chicoutimi, 1980.

«Mes racines à moi», *Protée*, numéro hors série, Chicoutimi, 1979.

Un art régional: avant tout un art d'attitude, Art et société, Éditions Intervention, Québec, 1981.

Et en particulier le site de la monarchie de L'Anse-Saint-Jean conservé comme «cyberpatrimoine» à l'adresse: www.roidelanse.qc.ca.

Bibliographie

Ardenne, Paul: *Extrême. Esthétiques de la limite dépassée*, Flammarion, Paris, 2006.

Barbey, Jean: *Être roi. Le roi et son gouvernement en France de Clovis à Louis XVI*, Fayard, Paris, 1992.

Baudrillard, Jean: *Le complot de l'art. Illusion et désillusion esthétiques*, Essais 11/Vingt, éditions Sens & Tonka, France, 1996.

Beardsley, John: *Earthworks and beyond contemporary art in the landscape*, Abbeville Press, New York, 1984.

Beuys, Joseph: *Par la présente, je n'appartiens plus à l'art*, Éditions L'Arche, Paris, 1988.

Borreil, Jean (Joan Borrell): *L'artiste-roi. Essais sur les représentations*, Bibliothèque du Collège International de philosophie, Aubier, Paris, 1990.

Bouchard, Russel: *Quand l'ours métis sort de sa houache. Conférence*, Chiktimitch, 9 avril 2007.

Collectif: *Le pays trahi*, La société du 14 juillet, Chicoutimi, 2001.

Colloque de Cerisy sur Marcel Duchamp, UGE, Paris, 1979. Voir notamment la contribution de Jindrich Chalupecky.

Debord, Guy: *La société du spectacle*, Folio, Gallimard, Paris, 1996.

Du Boisberrange, Françoise: *Les territoires de la post-modernité*, in « Enjeux de l'autonomie », Édition La pensée sauvage et Peuple et culture, Grenoble, 1984.

Fischer, Hervé, et collectif: *Citoyens sculpteurs. Une expérience d'art sociologique au Québec*. Éditions S.E.G.E.D.O., Paris, 1980.

Fischer, Hervé, *Théorie de l'art sociologique*, Casterman, Paris, 1976. Ce livre est accessible en ligne: http://classiques.uqac.ca/contemporains/fischer_herve/theorie_art_sociologique/theorie_art.html

Fischer, Hervé: *L'histoire de l'art est terminée*, Balland, Paris, 1981. Ce livre est accessible en ligne: http://classiques.uqac.ca/contemporains/fischer_herve/histoire_art_terminee/histoire_art.html

Fischer, Hervé: *La société sur le divan. Éléments de mythanalyse*, VLB éditeur, Montréal, 2007.

Fischer, Hervé: *Québec imaginaire et Canada réel*, VLB éditeur, Montréal, 2008.

Fischer, Hervé: *Pierre Restany, explorateur des périphéries artistiques*, in « Territoires de l'art », in *Miranda*, N° 2, Barcelone, 2007.

Fortin, Andrée: *Nouveaux territoires de l'art, régions, réseaux, place publique*, Éditions Nota bene, Québec, 2000.

Foucault, Michel: *Le gouvernement de soi et le gouvernement des autres, tome II. Le courage de la vérité*, cours de Sorbonne, 1984, Seuil, Paris, 2009.

Internationale situationniste 1958-69, Édition Champ-Libre, Paris, 1975.

Kantorowicz, Ernst: *Les deux corps du roi*, Gallimard, Paris, 2000.

La Chance, Michaël, *Œuvres-bombes et bioterreur. L'art au temps des bombes*, Éditions Inter, Québec, 2007.

Lambert, Jean-Clarence: *Dépassement de l'art?*, Éditions Anthropos, Paris, 1974.

Lamy, Laurent: *Denys Tremblay*, in *Vie des Arts*, hiver 1978-1979.

Lefebvre, Henri: *Le manifeste différentialiste*, Paris, Gallimard, coll. Idées, 1970.

Liste des micro-États: http://www.geocities.com/CapitolHill/5829/nonreconnus.html.

Moles, Abraham: *Psychologie du kitsch. L'art du bonheur*, Médiations, Denoël/Gonthier, Paris, 1976.

Perniola, Mario: *L'aliénation artistique*, U.G.E., collection 10/18, Paris, 1977.

Popper, Frank: *Art action et participation. L'artiste et la créativité aujourd'hui*, Klincksieck, Paris, 1980.

Poinsot, Jean-Marc: *In situ. Lieux et espaces de la sculpture contemporaine*, in «Qu'est-ce que la sculpture contemporaine?», Centre Georges Pompidou, Paris, juillet 1986.

Restany, Pierre: *L'autre face de l'art*, Éditions Galilée, Paris, 1979.

Richard, Alain-Martin et Robertson, Clive: *Performance in Canada 1970-1990*, éditions Intervention, Québec, 1991.

Robillard, Yves: *Vous êtes tous créateurs, ou le mythe de l'art*, Lanctôt éditeur, Montréal, 1998.

Saint-Gelais, Richard: *Les dispositifs illicites (l'Illustre Inconnu et les réglages subversifs de la lecture)*, professeur à l'UQAM, in *Voix et Images*, «Littérature québécoise», hiver 1990.

Tanguay, J. Fernand (sous la direction de): *Canada 125. Ses constitutions 1763-1982*, Éditions du Méridien, Montréal, 1992.

Vauday, Patrick: *Portrait du philosophe en artiste*, in *Miranda*, N° 1, Barcelone, 2006.

Vidal, Jean-Pierre: *Sur les traces de l'I.I. Une figure familièrement singulière*, in LDB, Édition Sagamie/Québec, Chicoutimi, 1986.

Vuarnet, Jean-Noël: *Le philosophe-artiste*, U.G.E. 10/18, Paris, 1977.

Bibliographie

Crédits photos

Crédits photos

Raymond Blanchette
Page 84, n° 1
Page 114, n° 1
Page 117, n° 1
Page 194, n° 1

Raymond Bérubé
Page 95 n° 1 et 2

Paul Cimon
Page 31
Page 32, n° 1 et 3
Page 34, n° 1
Page 35, n° 2
Page 69, n° 1
Page 72, n° 1
Page 119
Page 133, n° 1
Page 143, n° 2
Page 144, n° 1 et 2
Page 149, n° 1
Pages 160-161, n° 1, 2, 3, 4 et 5
Page 171, n° 1

Marcel Cloutier
Page 57, n° 1
Page 60, n° 1

Carol Dallaire
Page 88, n° 1, 2, 3 et 4

Georges Diens
Page 45, n° 1, 2, 3, 4, 5, 6
Page 46, n° 1, 2 et 3

Page 50, n° 1, 2, 3 et 4
Page 52, n° 1, 2, 3
Page 189, n° 1, 2

Daniel Dutil
Pages 86-87, n° 1

Hervé Fischer
Page 42, n° 1
Page 127, n° 1, 2 et 3
Page 141, n° 1

Johan Krieber
Page 109, n° 1
Page 178, n° 1
Page 183, n° 1

Richard Langevin
Page 112, n° 1

André Laflamme
Page 17, n° 1 et 2

Studio Lemay
Page 196, n° 1

Jeannot Levesque
Page 78, n° 1
Page 81, n° 2 et 3

Michel Monfette
Page 64, n° 1 et 2
Page 66, n° 2 et 3
Page 157, n° 2

Studio Pellicule
Page 67, n° 4
Page 157, n° 1

Léopold Rousseau
Page 17, n° 3, 4, 5, 6 et 7
Page 19, n° 1, 2, 3 et 4
Page 24, n° 1, 2, 3 et 4
Page 27, n° 1, 2, 3 et 4
Page 29, n° 1, 2 et 3

Laurent-Yves Simard
Page 81, n° 1

Denys Tremblay
Page 122, n° 1
Page 168, n° 1

François-Léo Tremblay
Page 32, n° 2
Page 33, n° 4
Page 35, n° 3 et 4
Page 115, n° 2

Réal Tremblay
Page 66, n° 1
Page 69, n° 2
Page 73, n° 2 et 3
Page 157, n° 3

LA PULPERIE
DE CHICOUTIMI

300, rue Dubuc
Chicoutimi (Québec)
Canada G7J 4M1
Tél.: 418 **698 3100**
Fax : 418 698 3158
info@pulperie.com

w w w . p u l p e r i e . c o m

Saguenay, le 3 février 2009

Alias de L'Illustre Inconnu au Roi de l'Anse

L'artiste et professeur Denys Tremblay a joué un rôle important dans l'histoire culturelle de notre région. Sa présence dans le grand récit du Royaume du Saguenay-Lac-Saint-Jean est aussi incontournable que peut l'être Arthur Villeneuve avec qui il a partagé célébrité.

Il a été l'instigateur du renommé Symposium International de Sculpture environnementale de Chicoutimi en 1980, qui a fait connaître le site de La Pulperie dans l'arène internationale dès son ouverture. Cet événement est considéré par plusieurs spécialistes comme «l'élément fondateur de l'art en région». Son expertise a contribué d'une manière importante à la renommée de notre université régionale. Ses actions inédites au titre de L'Illustre Inconnu ont permis, entre autres solutions concrètes, le sauvetage et l'installation de la Maison Villeneuve dans notre Musée. Son incroyable aventure au titre de Roi de l'Anse a permis à L'Anse-Saint-Jean une visibilité mondiale que plusieurs lui envient encore aujourd'hui. Peu de gens savent qu'il a réalisé, pour les quatre MRC de la région, le premier *Guide de tournage* pour accueillir les productions cinématographiques étrangères, et qu'il vient de terminer la conception et la rédaction des premiers cours universitaires en animation 3D du Centre NAD à Montréal. On ne compte plus les artistes, les étudiants ou les simples citoyens qui ont profité de ses conseils, de ses actions et de ses idées.

Denys Tremblay est un visionnaire et, comme tous les visionnaires, il a dû affronter scepticisme et incompréhension. Sa vision de l'art est universelle mais elle s'inscrit avec force et profondeur ici dans la région. Il était temps que La Pulperie de Chicoutimi / Musée régional du Saguenay-Lac-Saint-Jean lui consacre une importante exposition afin que la population régionale du Saguenay-Lac-Saint-Jean puisse mieux comprendre cet artiste intelligent et cohérent qui n'a jamais renié son pays intime.

Jacques Fortin
Directeur général
La Pulperie de Chicoutimi